KU-661-398

Geronimo Stilton

TERCER VIAJE AL REINO DE LA FANTASÍA

DESTINO

¿ESTÁS LISTO PARA UNA NUEVA Y FASCINANTE AVENTURA...

EN EL REINO DE LA FANTASÍA?

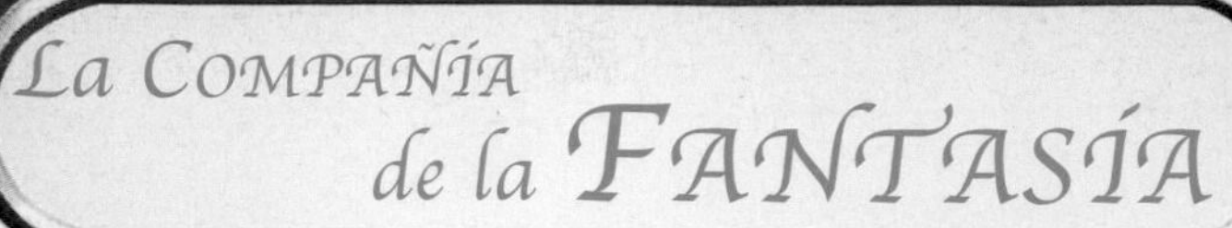

La Compañía de la Fantasía

La palabra «compañía» significa «quien come el mismo pan». Indica un grupo de personas que se ayudan unas a otras, aportando cada una su granito de arena. ¡En eso reside la fuerza de una compañía!

Geronimo Stilton

¡Yo soy el director del *Eco del Roedor*, el diario más famoso de la Isla de los Ratones! ¡Éste es mi tercer viaje al REINO DE LA FANTASÍA!

El Gigante Valeroso

En la Compañía tiene muchos amigos que lo quieren. Pero a él le gustaría tanto encontrar una compañera...

Rey Robur

Tiene cuernos y pezuñas de oro y el pelaje blanco. ¡Es el sabio y fiero Rey de los Elfos!

Alys

Es la princesa de los Dragones de Plata. ¡Valiente y audaz, es una excelente domadora de dragones!

El Gato con Botas

Es el embajador del País de los Cuentos. Simpático y vivaz, a veces es muy fastidioso: ¡siempre discute con el Gigante!

Alguiera

Es una nave azul, construida con madera encantada del Bosque Parlante. Sabe hablar y es capaz de navegar sola. Será gran amiga de Geronimo.

Clodovingia Merovea

Descubriréis su misteriosa, emocionante y romántica historia leyendo este libro... ¡Tiene un final feliz!

¿QUIERES FORMAR PARTE TÚ TAMBIÉN DE LA COMPAÑÍA DE LA FANTASÍA?
¡PEGA TU FOTO Y ESCRIBE TU NOMBRE!

¡PEGA AQUÍ TU FOTO!
¡LUEGO ESCRIBE TU NOMBRE DEBAJO!

Ismael E. El Mrabet Cobeña

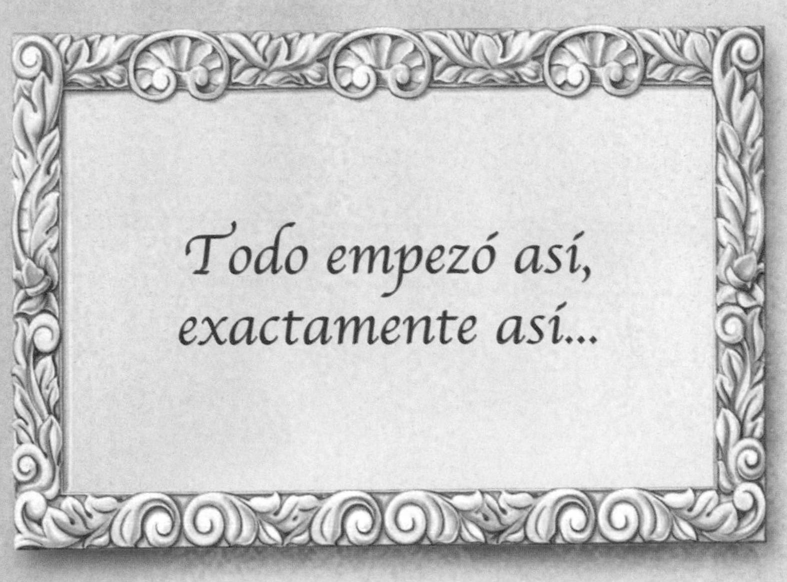
Todo empezó así,
exactamente así...

ERA UNA TRANQUILA TARDE DE PRIMAVERA

Pues todo empezó así, exactamente así, exactamente exactamente así...

Era una tranquila tarde de primavera. Es más, era exactamente la primera tarde de PRIMAVERA.

En Ratonia, la Ciudad de los Ratones, el cielo estaba claro, y los primeros tímidos rayos de sol ya anunciaban la llegada de la más *bella estación*...

¡RATONIA, LA CIUDAD DE LOS RATONES!

¡El Eco del Roedor!
El Eco del Roedor
1
2
3
4
5
6
7
8
10

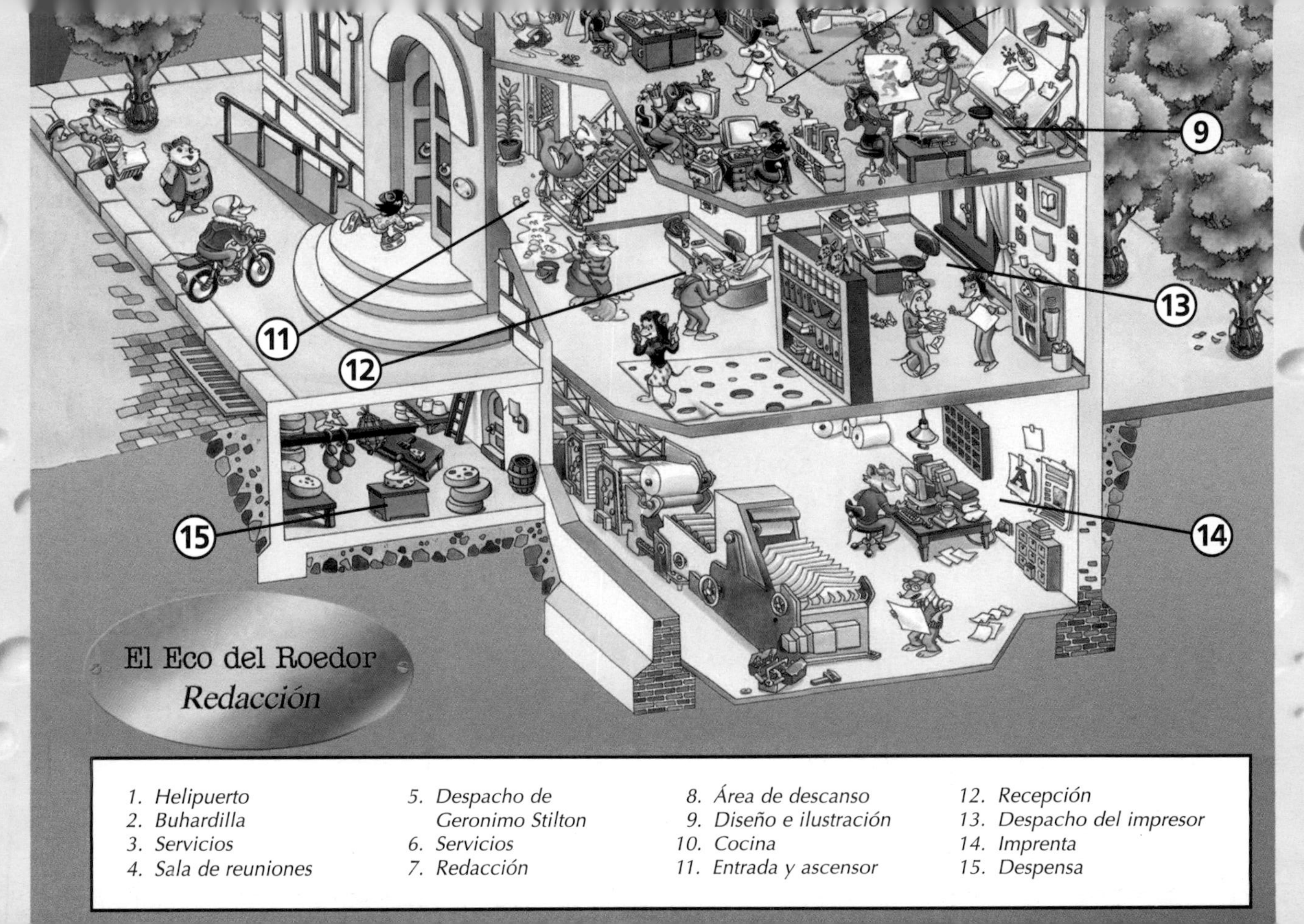
9
13
11
12
14
15
El Eco del Roedor
Redacción
1. Helipuerto
2. Buhardilla
3. Servicios
4. Sala de reuniones
5. Despacho de Geronimo Stilton
6. Servicios
7. Redacción
8. Área de descanso
9. Diseño e ilustración
10. Cocina
11. Entrada y ascensor
12. Recepción
13. Despacho del impresor
14. Imprenta
15. Despensa

¡Hola a todos!
¡Viva!
¡Qué bonito!
¿Y la reunión?
¿Está el jefe?
¡Qué perfume!
¡Son preciosas
¡Sonríe!
¡Ah, el amor!
¡Qué sueño!

¡LA REDACCIÓN!
¡Con el corazón trabajarás y así más feliz serás!
Estoy meditando... ¡Zzzz!
¡Qué sol tan bonito!
¡Hola Ger!
Fiiiu fiiiu
Es primavera...
¡Gracias!
¡Son para ti!
¡Qué bonita mariposa!
¡Tengo una idea!

Los pajaritos gorjeaban en las ramas y las flores de los cerezos emitían su delicado perfume. Encerrado en mi despacho, trabajaba perezosamente. Leía *manuscritos* de nuevos autores, escribía **e-mails** a los amigos, revisaba las **CUENTAS**.

Oh, perdonad, aún no me he presentado: ¡mi nombre es Stilton, *Geronimo Stilton*! ¡Dirijo EL ECO DEL ROEDOR, el diario más famoso de la Isla de los Ratones!

Abrí la ventana y me zumbaron los bigotes de la emoción. ¡Oh, cómo me gusta la primavera: el corazón de cada ratón se llena de felicidad!

Pues como os iba diciendo, mientras trabajaba se abrió la puerta... ¡y entró mi sobrinito Benjamín! Benjamín corrió hacia mí y me abrazó.

—Tiíto, ¿puedo ir a cenar contigo esta noche?

Yo sonreí.

—¡Pues claro, sobrinito adorado! ¡Iremos a mi casa y celebraremos el primer día de la primavera invitando a toda la familia Stilton a COMER PIZZA!

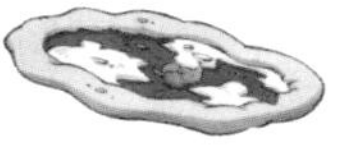

8
CASA DE GERONIMO STILTON

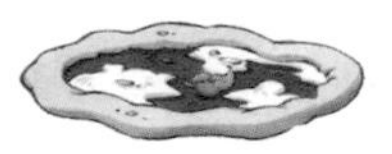

Quizá he exagerado con las pizzas...

Toda la **FAMILIA STILTON** se reunió en mi casa: estaban mi hermana Tea, mi primo Trampita, el abuelo Torcuato, tía Lupa...

También vino Patty Spring con su hermano Dakota y la sobrinita Pandora.

Mi primo Trampita cocinó pizzas de todos los tipos: con **tomate**, con verduras asadas, a los

cuatro quesos, con huevo, y también pizzas extrañas... ¡con piña, por ejemplo!
A mí me gusta sobre todo la pizza con triple de gorgonzola. Así que me comí **UNA... DOS... TRES...** ejem, ¡y después perdí la **CUENTA**! ¡Tenía la barriga cada vez más REDONDA!
—¡Ñam, ñamñam, requeteñam!
Cuando acabamos de comer, recogimos la mesa todos juntos. Después les di las buenas noches a mis parientes y me fui a dormir.
Quizá había exagerado con las pizzas...

VUELTAS Y MÁS VUELTAS...

Aquella noche en la cama, di vueltas y más vueltas, vueltas y más vueltas...

¡Aaaagh!

Sentía un gran peso en el estómago y no conseguía conciliar el sueño.

¡Ay, sí, verdaderamente había exagerado con las pizzas!

Intenté leer. ¡Yo adoro los libros!

Pero aquella vez elegí el libro equivocado: ¡era una terrorífica historia de FANTASMAS!

Así que en vez de ayudarme a conciliar el sueño, me despertó aún más.

Permanecí con los ojos abiertos, contemplando el techo durante un buen rato...

1 A medianoche en punto me levanté para prepararme una MANZANI-LLA (la trigésimo primera, ya me había bebido treinta).

2 Pero ¡estaba completamente **enroscado** en las sábanas! Tropecé, empujando la pila de las treinta tazas de la mesita de noche...

3 Cayeron al suelo y se hicieron mil pedazos no más GRANDES que una MIGA DE PAN.

4 Mientras intentaba mantener el equilibrio, PISÉ un trozo afilado.

5 CORRÍ al baño a buscar una TIRITA pero resbalé en un charco de agua ...

6 ¡Y me di con la cabeza en el borde del lavabo!

¡El váter de Geronimo!

¡Mientras me DESMAYABA, me acordé de que la taza del váter perdía agua!

¡¡¡Y me había olvidado de llamar al FONTANERO!!!

1
¡Glob!
A medianoche me levanté para prepararme otra manzanilla...
... pero tropecé y empujé las tazas de la mesita de noche.
2
¡Aaaagh!
3
¡Crash!
¡Las tazas cayeron al suelo y se rompieron en mil pedazos!

4
¡Ay ay ay!
Me herí una pata con un trozo afilado...
5
Corrí al baño a buscar una tirita, pero resbalé en un charco de agua...
¡Ooooops!
6
¡Sbang!
¡... di con la cabeza contra el lavabo y me desmayé!

Un húmedo despertar

Abrí los ojos porque una lengua húmeda y rugosa me estaba lamiendo el morro...

Dos enormes ojos dorados, grandes como platos, brillaron en la oscuridad...

Noté *un delicado perfume de rosa...*

—¿Qu... quién es? —balbuceé.

En la oscuridad, una voz profunda pero melodiosa como el canto de mil pájaros anunció:

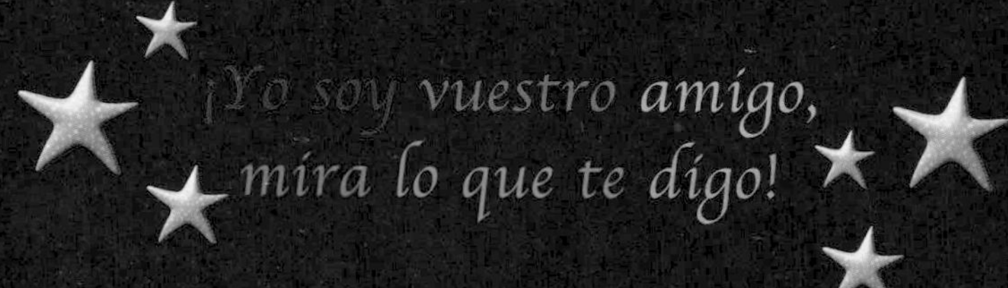

¡Yo soy vuestro amigo,
mira lo que te digo!

—¿Yo, quién? —pregunté **temblando**.

La voz se rió y respondió:

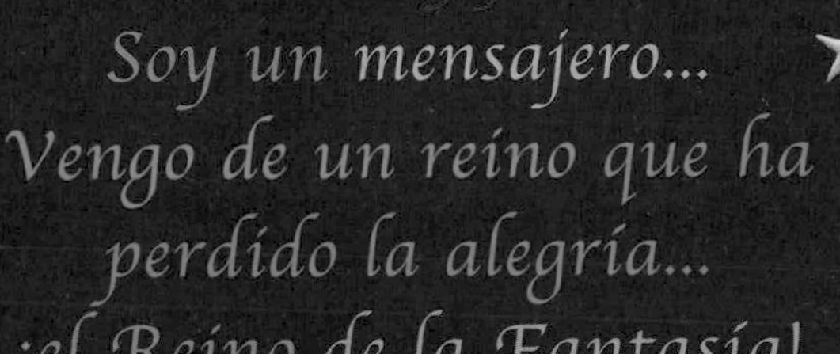

¡Fuerte y fiero,
Soy un mensajero...
Vengo de un reino que ha
perdido la alegría...
¡el Reino de la Fantasía!

Sólo entonces comprendí.

¡Quien había hablado era el *Dragón del Arco iris*!

> ***Dragón del Arco iris!***
>
> Es el fiel mensajero de la Reina de las Hadas. Su cuerpo está recubierto de escamas de oro y tiene siete cuernos con los colores del arco iris. Le gusta la música clásica y sus palabras son dulces melodías. Se alimenta de felicidad pura, y por la nariz suelta un delicado perfume de rosas. Tiene la fuerza de mil dragones... pero ¡le encantan los mimos!

Encendí la luz y vi al Dragón, que había metido el morro por la ventana.

Lo abracé:

—¡Queridísimo amigo!

Por detrás del Dragón se asomó otro morro que conocía bien.

Una voz estridente chilló:

—¡Caballerooooooooooooooooooooooooooo!

¡Era el sapo *Plumilla Verdoso*!

¡Cuántas aventuras habíamos vivido juntos en el REINO DE LA FANTASÍA!

De repente, sin embargo, un pensamiento me atravesó el cerebrito.

¿¿¿Por qué habían venido a buscarme???

? Por qué ?

? ? por qué ? ?

? ¿por qué? ?

¡UN SALTO EN EL AZUL DE LA NOCHE!

—Entonces, ¿por qué habéis venido a buscarme? —pregunté.

—¡La *Reina de las Hadas* ha sido raptada!

Yo grité:

—¿Cóóóómo? ¿Floridiana ha sido raptada?

—¡Pobres de nosotros, la ha raptado la **REINA DE LAS BRUJAS**!

Plumilla me dio un pergamino...

¡PRUEBA A DESCIFRAR EL MENSAJE!*

*Encontrarás el *Alfabeto Fantástico* en la pág. 299

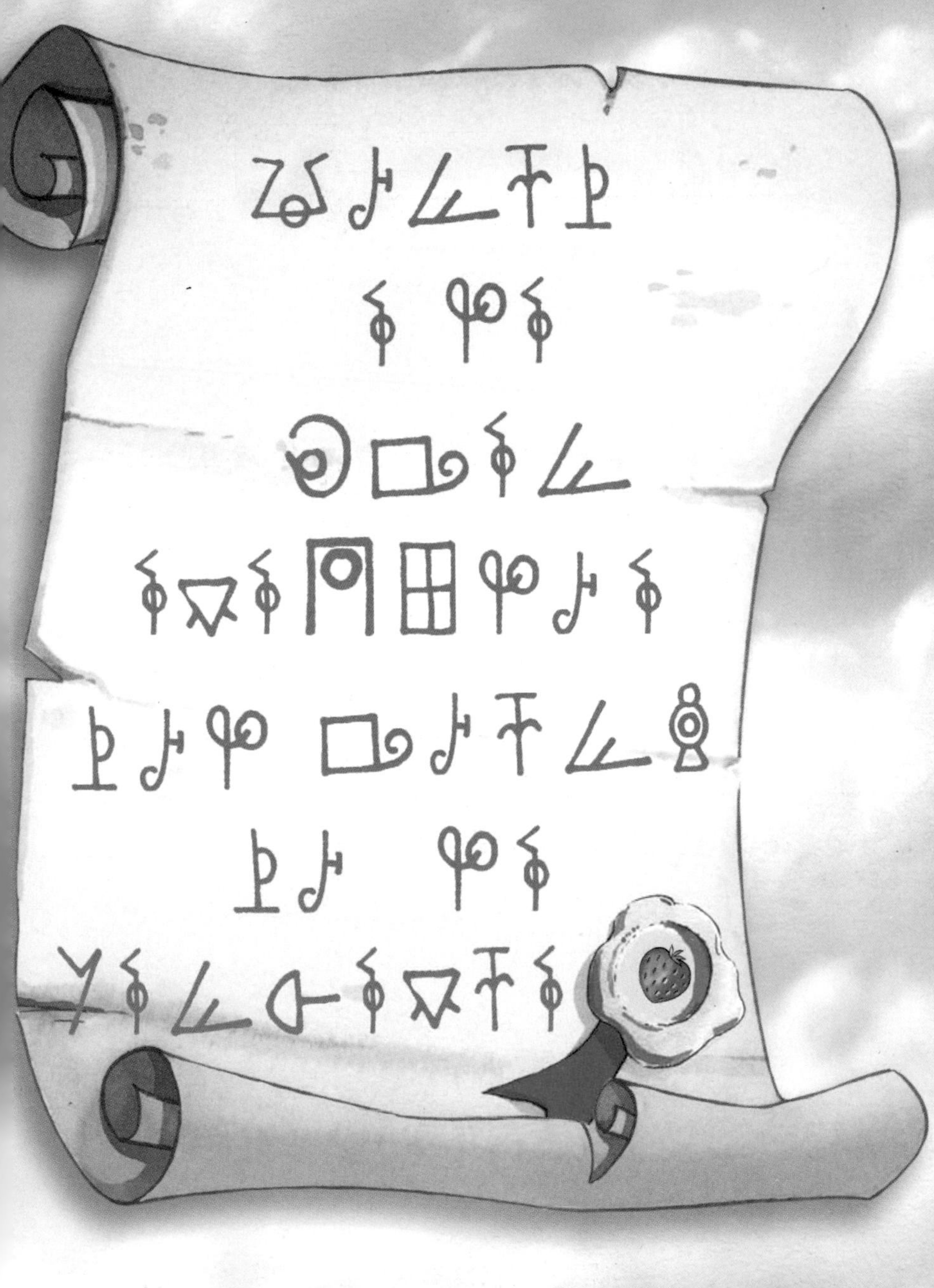

Yo traduje el pergamino: «VENID A LA GRAN ASAMBLEA DEL REINO DE LA FANTASÍA».

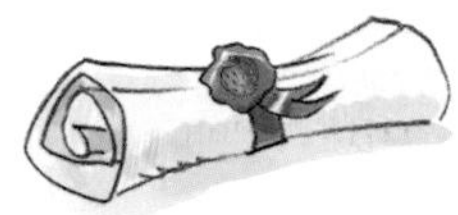

Plumilla explicó:

—Los Gnomos han convocado LA GRAN ASAMBLEA DEL REINO DE LA FANTASÍA. No se había celebrado desde hace siglos y siglos y siglos... El primero al que llaman sois vos, ¡EL CABALLERO SIN MANCHA Y SIN MIEDO!

Entonces me pellizcó la cola.

—Vamos, preparaos para partir hacia el Reino de los Gnomos. ¡Vestíos, no podéis venir en pijama!

—Pero yo, en realidad...

Él protestó:

—¡Rápido, os necesitamos! ¡El REINO DE LA FANTASÍA corre un GRAVÍSIMO PELIGRO, sólo vos podéis ayudarnos!

Me vestí mientras *Plumilla* continuaba parloteando parloteando parloteando parloteando parloteando parloteando parloteando parloteando parloteando parloteando... hasta ATURDIRME.

—¡Sabía que partiríais con nosotros, Caballero, tenéis un *corazón generoso*!

El Dragón tomó carrerilla en mi jardín.

Batiendo las alas
Batiendo las alas
Batiendo las alas
el Dragón despegó...

Yo grité:

—¡Hacia el arco iriiiiiiiiiiiiiiiis!

subió cada vez más alto...
subió
subió
El Dragón

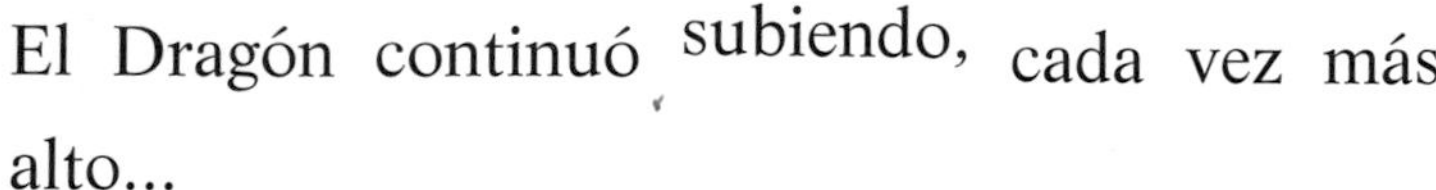

El Dragón continuó subiendo, cada vez más alto...

¡Hasta sobrepasar las nubes blancas!

Subimos tanto que me pareció rozar la LUNA.

Viajando sobre la blanca alfombra de nubes, me preguntaba qué aventuras me esperaban... ¡en el mítico REINO DE LA FANTASÍA!

¡Viaje
al
Reino de la Fantasía!

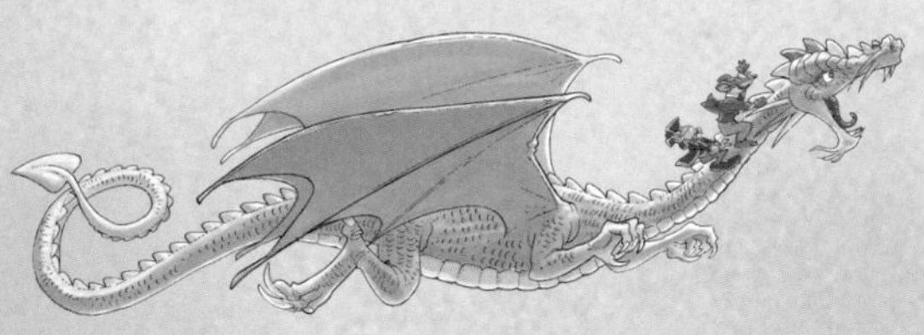

¡... los viajes más bellos

¡Hacia el arco iriiiiiiiiiiiiiiiis!

se hacen con las alas de la Fantasía!

El viaje duró toda la noche.
Al alba sobrevolamos el Reino de las Hadas.
El tiempo había sido siempre primaveral
y en el aire se olía un perfume a flores...
pero ¡ahora, bajo nosotros, se
extendía sólo la nieve!

UN TRISTE Y GÉLIDO INVIERNO

Yo murmuré:

—Pero ¿¿¿dónde está el Castillo de Cristal, el Castillo de las Hadas???

Plumilla suspiró:

—Pobres de nosotros, del hielo sólo sale la aguja más alta del Castillo, que está cubierto de nieve. ¡*Por mil renacuajos*, qué **TRISTE Y GÉLIDO INVIERNO**!

Señaló con un gesto desconsolado la extensión de hielo debajo de nosotros, de la que sobresalía sólo una aguja con una estrellita de plata.

Lloré de tristeza, pero hacía tanto frío que mis lágrimas se CONGELABAN y caían al suelo con un ruido seco...

¡PLIC! ¡PLIC! ¡PLIC!

¡Además, tenía dolor de cabeza!

De hecho, Plumilla me había martilleado toda la noche con sus poemas sobre las hadas y sobre las brujas, sobre la guerra y sobre la paz, sobre ranas y RENACUAJOS.

¡Qué parlanchín era Plumilla!

Pero si queréis escuchar un POEMA RANESCO, si *realmente realmente realmente* queréis... ahí tenéis...

¡Copos de nieve y renacuajos!

Poema ranesco escrito para la ocasión por Plumilla Verdoso, Sapo Letrado.

He aquí un poema ranesco sobre la nieve
que desciende leve leve leve...
¡Vaya, vaya, cuántos copos de nieve!
¡Por mil renacuajos,
me mojan con total desparpajo!
Un tiempo fue siempre primavera,
la felicidad verdadera.
¡Ahora en cambio hace un frío tremendo
y el paisaje es horrendo!
Pero ¡estos copos de nieve abusones
no deben entrar en nuestros corazones!
¡Nuestra Reina ha sido raptada...
y mi alma es desdichada!

Pero ¡una Compañía rápido se ha unido
y a las brujas pronto habremos vencido!
¡¡¡Un Caballero la guiará,
y al Hada salvará,
croá croá croá!!!
Ahora ya he acabado
esta poesía,
vosotros diréis
la vuestra...
¡Yo ya he dicho la mía!
Plumilla
Verdoso

Un cielo gris como la tristeza

Nos apresuramos hacia el Reino de los Gnomos para llegar a tiempo para la Gran Asamblea. El cielo estaba cada vez más gris... ¡*gris* como la TRISTEZA!

La culpa era de una densa nube de humo que provenía del oeste, transportada por el viento gélido... ¡gélido como el aliento de una BRUJA! El humo impedía a los rayos de sol llegar hasta el suelo: ¡por eso hacía tanto tanto tanto FRÍO!

¡Qué tufo a humo!

UN PEQUEÑO GRAN PUEBLO

SETINA BOLETUS

Finalmente, aterrizamos en el Reino de los Gnomos. Encontré a BOLETUS y a Setiña, el Rey y la Reina de los Gnomos, en la SALA DEL TRONO. El Rey corrió a mi encuentro.

—¡Caballero, gracias al cielo que estáis aquí! Ya hemos convocado la GRAN ASAMBLEA DEL REINO DE LA FANTASÍA. Todos los héroes del Reino estarán aquí mañana. ¡Sólo manteniéndonos unidos podremos salvar a *Floridiana*!

La Reina gritó fieramente:

—¡El Bien triunfará!

Estas palabras resonaron en el aire como una promesa de victoria...

¡El Bien triunfará!
¡El Bien triunfará!
¡El Bien triunfará!
¡El Bien triunfará!
¡El Bien triunfará!
¡El Bien triunfará!
¡El Bien triunfará!
¡El Bien triunfará!
¡El Bien triunfará!

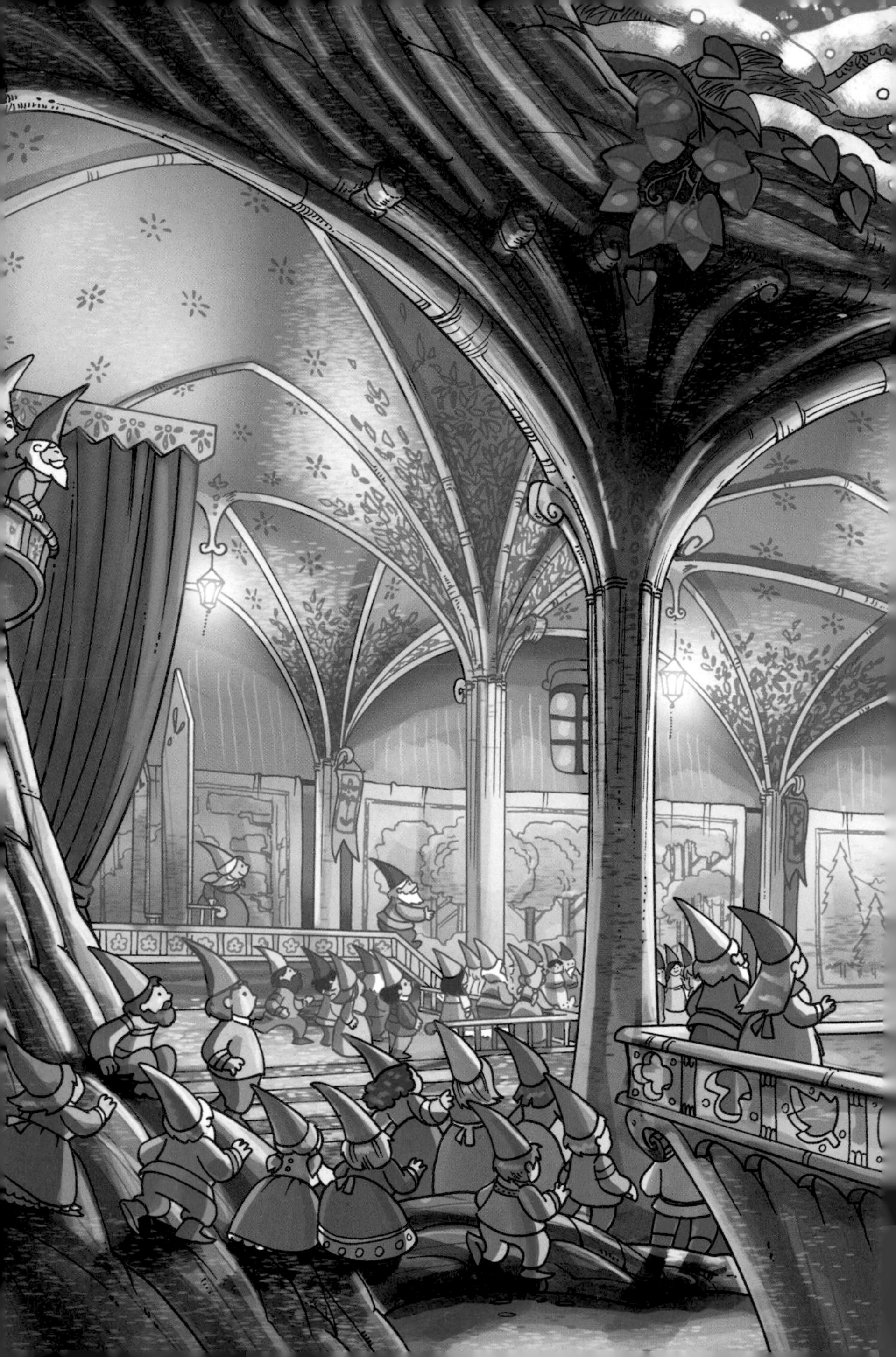

—¡Llevadlo al Salón de las Fiestas, que tiene el techo más alto del reino. ¡Ordenad a los CARPINTEROS REALES que unan diez camas! ¡Ordenad a los SASTRES REALES que cosan un pijama con diez cortinas y una manta cálida! ¡Ordenad a los COCINEROS REALES que preparen *mucha mucha mucha* comida, porque el Caballero no sólo es *muy muy muy* grande, sino que seguro que también tiene *mucha mucha mucha* hambre!

Yo me incliné hasta rozar el suelo con los bigotes.

—¡Gracias, majestad! ¡Vuestra hospitalidad me CONMUEVE!

Aquella noche estaba tan cansado y preocupado que me costaba conciliar el sueño.

¡Para adormecerme, la Reina me contó un bellísimo cuento, mientras un coro de gnomos y gnomas me cantaba una dulcísima nana!

Por eso, gracias a ello y a pesar de todo...

¡aquella noche me dormí tranquilo!

Los carpinteros reales

¡construyeron una cama para mí, precisamente para mí, juntando diez camitas!

Los sastres reales

¡cosieron para mí, precisamente para mí, un pijama formado por diez cortinas y una bellísima manta multicolor!

Los cocineros reales

¡prepararon para mí, precisamente para mí, mucha mucha mucha comida, porque tenía mucha mucha mucha hambre!

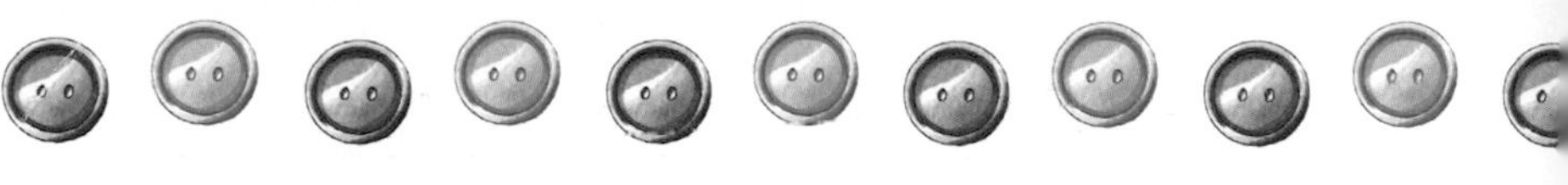

LA ÚLTIMA MODA GNÓMICA

A la mañana siguiente, la Reina anunció muy orgullosa:

—¡Todas las GNOMAS del país han trabajado toda la noche, hilando y tejiendo la mejor lana para coser para vos estas deliciosas prendas, suaves y cálidas, a la última **MODA GNÓMICA**!

Yo he creado el modelo...
Yo te he aconsejado...
Yo lo he tendido a secar...
Yo he colocado los alfileres...
Yo lo he hilvanado...
Yo lo he cosido...
Yo te he traído una tirita...
Yo he elegido el tejido...
Yo he lavado el tejido...
Yo lo he planchado...
Yo lo he cortado...
Yo he enhebrado las agujas...
Yo me he pinchado en el dedo...

En la **ETIQUETA** habían bordado mi nombre:

 **GERONIMO STILTON** 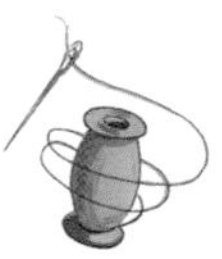

Me incliné y les besé la manita a todas las gnomas, una tras otra.

—Gracias, amables señoras, llevaré con orgullo esta espléndida ropa. Gracias a vosotras no tendré frío... pero ¡vuestro gesto amable calienta sobre todo mi CORAZÓN!

¡Gracias, amables señoras!
Yo he cosido una manga...
Yo he hecho los ojales...
Yo he cosido los pantalones...
Yo he cosido el sombrero...
Yo he limpiado las botas
Yo la otra manga...
Yo he cosido los botones
Yo he hecho el dobladillo...
Yo he cosido los calcetines...
¡Qué elegante está el Caballero!

La gran asamblea del Reino de la Fantasía

Me asomé al balcón y vi en el horizonte una nube de polvo. ¡Llegaban los aliados de la Reina de las Hadas!

En nuestro corazón nacía la esperanza: juntos podíamos conseguirlo. ¡Salvaríamos a Floridiana y al Reino de las Hadas!

Había duendecillos vestidos de verde que volaban sobre libélulas de alas transparentes, DRAGONES que lanzaban amenazadoras LLAMARADAS por la boca y un UNICORNIO que llegaba al galope. ¡También reconocí a Pustulino el camaleón, a la Oca Cuacuá y a Cuc Aracho: los conocía de los tiempos del segundo viaje al REINO DE LA FANTASÍA!

¡Cuántos ELFOS armados con arcos de plata!

Allí estaban el GATO CON BOTAS y muchos otros amigos del *País de los Cuentos*.

Por el agua llegaban las **CRIATURAS DEL MAR**: su reina viajaba en una tina de cristal, para mantener en remojo su cola de pez.

Más lejos, en el río, me fijé en dos voluminosas velas de seda blanca: pertenecían a una magnífica nave azul. ¿De dónde provenía?

¡Llegan los aliados de Floridiana!
¡... Ahí están los Dragones de Plata!
¡... los Duendes!
¡... el Gigante Valeroso!
¡... los Elfos!
¡... las Criaturas del Mar!

¡... Alguiera, la nave parlante!
¡... los Unicornios Azules!
¡... Pustulino!

¡Aquí tenéis al luminoso Ejército de la Fantasía!

ELFOS: nobles, generosos y leales, conocen los bosques y corren veloces y silenciosos.

DRAGONES DE PLATA: fuertes y valientes, son amantes de la Justicia y del Bien.

UNICORNIOS: viven en el Condado de los Unicornios Azules.

CRIATURAS DEL MAR: sirenas, delfines y ballenas... ¡todos son aliados de Floridiana!

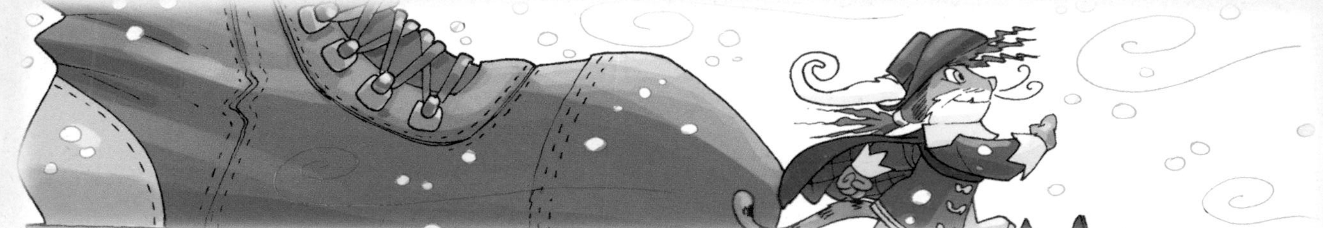

EL GIGANTE VALEROSO y EL GATO CON BOTAS: ¡han partido juntos desde su país para defender a la Reina de las Hadas!

A TODOS LOS AMIGOS, CERCANOS Y LEJANOS...

Todos los aliados del Reino de las Hadas se reunieron en el gran prado frente al palacio: ¡eran demasiados para entrar!

El Rey BOLETUS y la Reina Setiña leyeron juntos un solemne discurso.

¡Hacía tanto FRÍO, que el aliento se condensaba, formando muchas nubecillas!

—A todos los amigos, cercanos y lejanos, nosotros os anunciamos:

¡FLORIDIANA ESTÁ EN PELIGRO!

¡Ha sido raptada por la Reina de las Brujas!

—¡Oooh! —gritaron todos.

—¡Bien, ahora preparaos para partir! —anunció el Rey de los Gnomos cuando todos se sentaron.

Yo carraspeé y murmuré:

—Ejem, majestad, perdonadme, pero...

—¿Sí?

—Ejem, hay un pequeño detalle.

—¿Qué detalle?

—Ejem, ¿adónde iremos? ¡No sabemos dónde ha sido conducida la Reina de las Hadas!

—¡Marido, en eso no habíamos pensado! —gritó Setina.

Él se rascó la barba:

—¡Tienes razón, mujer! ¡No sabemos dónde se encuentra!

—Eh, si no sabéis dónde está, ¿cómo vamos a salvarla? —chilló un duendecillo fastidioso.

Todos los dragones rugieron:

—¡VAAAAAAAYA!

Los pulpitos que escoltaban a la Sirena improvisaron un bailecito, canturreando a coro:

—¡Nunca la encontraremos, nunca nunca nunca... nunca nunca nunca!

—¡Silencio! ¡No es el momento de hacer bromas! —dijo Boletus dando un puñetazo en el suelo.

Justo entonces, Pustulino gritó:

—¡Tengo una idea! Hace muchos años, Floridiana confió a los gnomos un cofrecito de plata, ¿recordáis? ¡Recomendó abrirlo sólo si el REINO DE LA FANTASÍA estaba en grave PELIGRO!

El Rey se iluminó:

—Tienes razón, Pustulino. ¡Vamos a buscarlo a la biblioteca!

Seguí al Rey a la biblioteca, y mientras, busqué a Pustulino para felicitarlo por la brillante idea, pero no conseguí verlo.

¡Se había mimetizado, como de costumbre!

¿PUEDES VER DÓNDE SE HA ESCONDIDO PUSTULINO?

¡Misterio misterioso misteriosísimo!

El cofrecito era una preciosa *cajita* de plata con forma de rosa.

Había sido finamente modelada y resplandecía con miles y miles de luces. ¡Alrededor de sus pétalos había incrustados miles y miles de DIAMANTES PURÍSIMOS!

El Rey de los Gnomos metió una minúscula llave en la cerradura.

Todos contuvimos la respiración...
Dentro había una *brújula de plata* incrustada de diamantes, con un texto en alfabeto fantástico.
En el cofrecito había también un *pergamino* con otro mensaje en alfabeto fantástico.
¡VUELVE LA PÁGINA E INTENTA TRADUCIR EL TEXTO FANTÁSTICO!

¡Dentro había una brújula de plata incrustada de diamantes...

INTENTA DESCIFRAR EL TEXTO*

* Encuentra el Alfabeto Fantástico en la pág. 299

... y un pergamino!

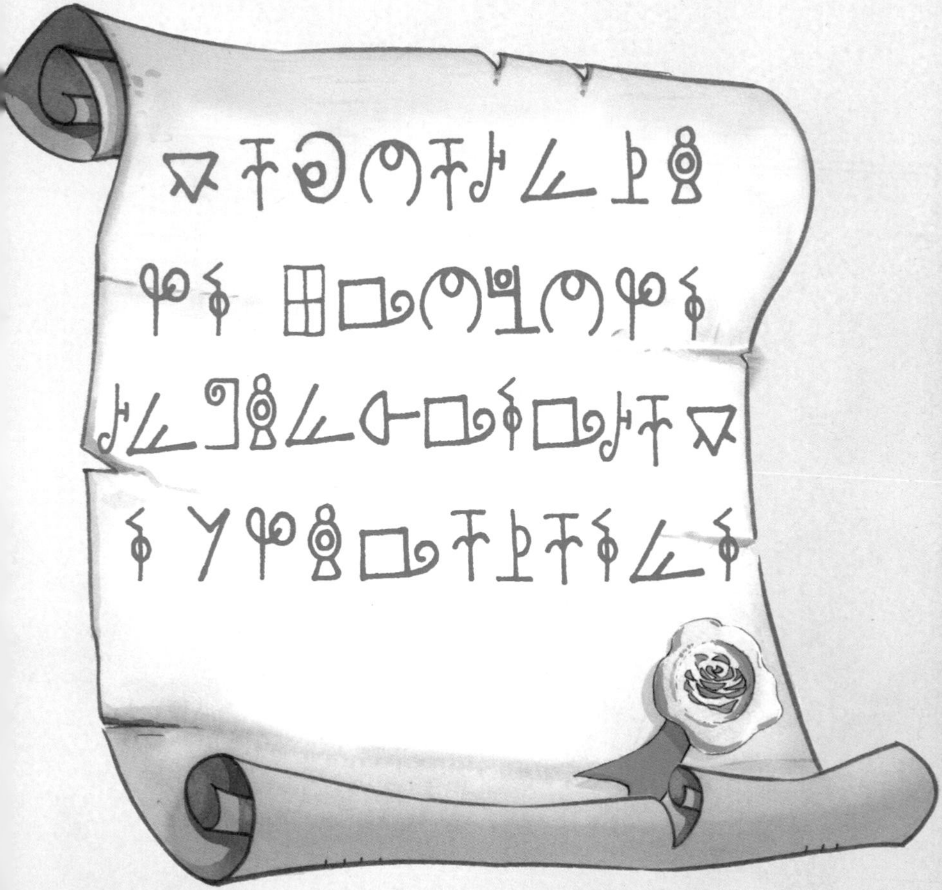

Boletus tradujo el texto grabado en la brújula de plata:

—*Yo señalo a Floridiana.*

Después tradujo el texto del pergamino:

—*Siguiendo la brújula encontraréis a Floridiana.*

—Bueno, al menos ahora sabemos cómo encontrar a Floridiana... pero ¿quién será tan VALIENTE para ir a buscarla? —suspiró el Rey.

Pustulino miró en la dirección indicada por la brújula:

—¡Ay ay ay, es la dirección del REINO DE LAS PESADILLAS! Ejem, perdonadme, pero tengo un asunto urgente...

Entonces desapareció: se había mimetizado.

¿Dónde estaba Pustulino?

INTENTA DESCUBRIR DÓNDE SE HA MIMETIZADO PUSTULINO.

¡LA COMPAÑÍA DE LA FANTASÍA!

—¿Quién es el valiente que quiere partir para salvar a Floridiana y entrar en la COMPAÑÍA DE LA FANTASÍA? —dijeron los reyes.

—¡Yo! Mi nombre es Stilton, *Geronimo Stilton*, aunque aquí todos me llaman el CABALLERO SIN MANCHA Y SIN MIEDO.

—¡Querido Caballero, qué valiente sois! ¡Dejad que os dé un besito en la punta de los bigotes! Y aceptad esta bolsita que contiene LÁGRIMAS DE DRAGÓN: ¡puede curar cualquier herida! —Setina me abrazó.

LÁGRIMA DE DRAGÓN

—¿Quién más quiere partir? ¿Quién? ¿¿Quién?? ¿¿¿Quién???

El último de los gigantes

En aquel momento, el suelo tembló.

¡Tump! ¡¡Tump!! ¡¡¡Tump!!!

Por detrás de las colinas apareció un sombrero alto como un campanario, en la cabeza de una criatura ALTA como un palacio de quince pisos.

¡Era VALEROSO, mi amigo gigante!

¡Di un salto atrás para que no me aplastara como una tortilla, como ocurrió en mi primer viaje al Reino de la Fantasía!

Valeroso es un poco distraído...

Él me hizo subir a su mano y me alzó a la altura de sus OJOS. Por el frío, su aliento se condensaba en muchas nubecillas.

¡Pobre de mí, cómo le apestaba el aliento a cebolla! y es que... ¡las comía para almorzar, para cenar, para merendar y para desayunar! ¡Las comía ESTOFADAS, FRITAS, en salsa, agridulces, en vinagre, en ACEITE o CRUDAS!

—¿Cómo estás, queridísimo amigo? —tronó.

Yo casi me desmayé (por el tufo a cebolla*), pero de todos modos respondí:

—Bien, ¿y tú?

—Tengo muchos amigos, y eso es muy bonito, pero aún no he encontrado una compañera, ni la encontraré nunca... —suspiró.

—¿Te sientes solo? —pregunté, con dulzura.

* *¡Vuelve la página y huele el FantiTufo!*

FantiTufo del Bocadillo del Gigante

¡Ésta es la merienda del gigante!

¡Frota y huele!

—Me gustaría tener una familia, una esposa, gigantitos PEQUEÑINES PEQUEÑINES, bueno, **GRANDES GRANDES**... Pero ahora eso no es importante. ¡Tenemos que salvar a Floridiana!

Miró hacia la asamblea y dijo fiero:

—¡Pongo mi fuerza al servicio de esta gran empresa!

Todos gritaron a coro:

—¡Bienvenido a la Compañía!

—¡BIENVENIDO A LA COMPAÑÍA!

VALEROSO
el último de
los gigantes

VALEROSO

VALEROSO

De los Granhalcón

El último de los Gigantes del Norte

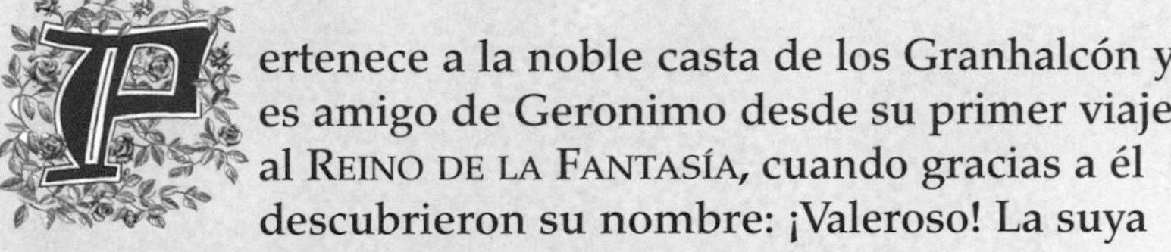

Pertenece a la noble casta de los Granhalcón y es amigo de Geronimo desde su primer viaje al REINO DE LA FANTASÍA, cuando gracias a él descubrieron su nombre: ¡Valeroso! La suya es una historia triste: toda su familia fue arrollada por la «Furia Blanca», un terrible alud que hace muchos muchos años sepultó el reino de Roca Halcón. Valeroso es el único superviviente de los hijos del Rey de los Gigantes y el heredero al trono...

Custodia siempre en su alforja las coronas del Rey y de la Reina de los Gigantes, ¡porque ya no hay súbditos en su reino!

En la alforja tiene también un cargamento de cebollas, que come continuamente, también para desayunar. ¡Por eso su aliento apesta terriblemente a cebolla!

Sufre muchísimo por su soledad: posee un enorme castillo, vacío y solitario, pero sueña con una verdadera casa, llena de afecto y de calor.

¿Quién sabe si se cumplirá su deseo?

Robur, el Rey de los Elfos

Precisamente entonces, una voz profunda y fiera anunció:

—¡Yo no tengo miedo de ir al **PAÍS DE LAS PESADILLAS**... para salvar a la Reina de las Hadas!

Todos se volvieron para ver quién había hablado. También yo me volví para ver a quién pertenecía aquella voz y olí un fuerte perfume...*

Me recordaba a un verde bosque...

Vi que por el prado de la Gran Asamblea avanzaba una criatura extraordinaria.

¡A la vista de aquella maravilla me quede sin palabras! ¡Era un ciervo BLANCO!

* *¡Ve a la pág. 83 y huele el FantiPerfume!*

Era magnífico, corpulento y con patas musculosas. Las pezuñas brillantes y los imponentes cuernos eran de oro. En el cuello llevaba un colgante de oro con una hoja de encina.

—Hum, una hoja de encina... ¡es el símbolo del Reino de los Elfos! Representa la fuerza moral y física que distingue a ese misterioso y noble pueblo que habita en los bosques profundos —murmuró Plumilla.

Todos murmuraron con curiosidad:

—Pero ¿**quién** es?

—Pero ¿**quién** será?

—Pero ¿de **dónde** viene?

El ciervo miró con sus fieros ojos oscuros a la multitud y exclamó decidido:

—¡Yo, Robur, Rey de los Elfos, partiré en defensa de Floridiana!

Yo lo saludé:

—¡BIENVENIDO A LA COMPAÑÍA!

Robur, Rey de los Elfos

¡FANTIPERFUME DE BOSQUE ÉLFICO!

¡FROTA Y HUELE!

¡He aquí una encina del Bosque Perfumado!

ROBUR

Robur

El misterioso Rey de los Elfos

Los Elfos son un pueblo noble y antiquísimo que ama los bosques y la libertad. El misterioso Rey de los Elfos nunca se muestra a los ojos de los extraños, le gusta la tranquilidad y el silencio de sus bosques. Tiene el aspecto de un majestuoso ciervo blanco.
Lleva en el cuello un valioso colgante de oro con una hoja de encina, símbolo de fuerza y sabiduría. Siempre está listo para defender a quien está en dificultades y a escuchar a quien necesite sus sabios consejos.
Su nombre es Robur, pero también es conocido con estos títulos: El Que Vela por su Pueblo, Portador de la Paz, Custodio de la Sabiduría Élfica, Protector del Bosque Profundo.
Su reino se llama Castillo de Oro.
Está circundado por un bosque profundo e impenetrable: solamente los que tienen una alma pura y noble pueden atravesarlo.

ALYS, PRINCESA DE LOS DRAGONES DE PLATA

Una niña esbelta, de cabellos rubios recogidos en una espesa trenza, avanzó con pasos leves. Cuando estuvo más cerca vi que era muy bella: sus ojos eran verdes, el rostro era un óvalo perfecto, la delicada NARICITA era de punta respingona, los labios **rojos** como cerezas, la PIEL transparente y delicada como porcelana. Todas las prendas que vestía mostraban muchos y distintos matices de plata: el corpiño, la larga casaca y las medias ligeras. En bandolera llevaba un arco de plata y un carcaj lleno de flechas.

—Mi nombre es Alys —anunció—.

Soy la Princesa de los Dragones de Plata. ¡También yo partiré con vosotros para salvar a Floridiana!

Entonces extrajo de su alforja una flauta de plata, la tocó y en el cielo apareció una bandada de dragones.

—¡Mis DRAGONES DE PLATA están al servicio de la Reina de las Hadas! —exclamó Alys.

En seguida aterrizó a su lado una graciosa dragona. Alys la presentó:

—Su nombre es Brillante y me acompañará en esta peligrosa empresa.

Después sacó de la alforja un libro decorado con preciosas filigranas de plata y recubierto con un suave tejido color lavanda.

—¡Todo el saber de los domadores de dragones está contenido en este libro: yo lo pongo al servicio de Floridiana! —dijo Alys, abriéndolo.

En aquel instante, noté un delicado **perfume*** de lavanda.
Me incliné ante Alys:

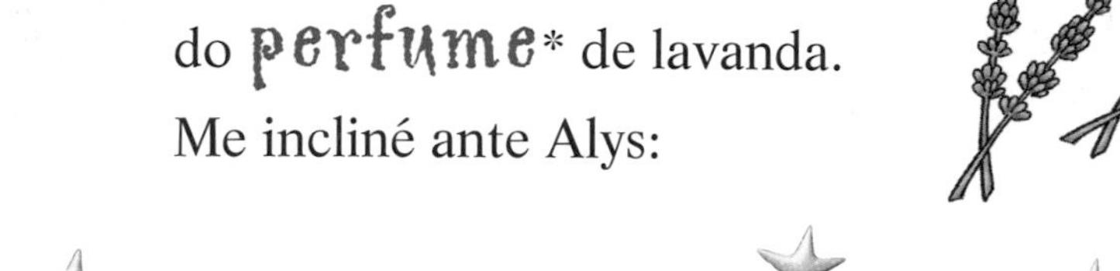

—¡BIENVENIDA A LA COMPAÑÍA!

* *¡Ve a la pág. 90 y huele el FantiPerfume!*

ALYS

FantiPerfume del
Libro Encantado
¡He aquí el libro de Alys!
¡Frota y huele!

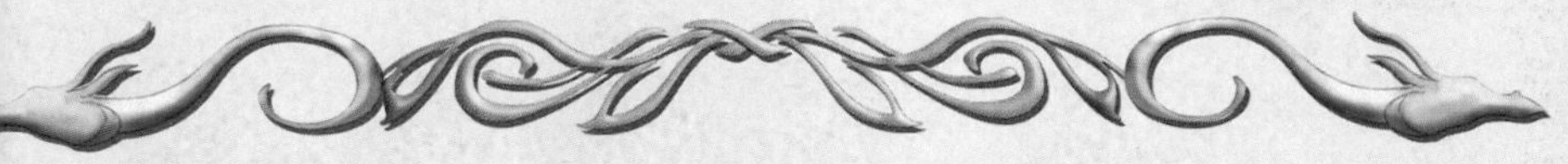

ALYS

Princesa de los Dragones de Plata

En el fabuloso REINO DE LOS DRAGONES DE PLATA vive una princesa de nombre Alys, tan bella como valiente y fiera.

Sus títulos son: PRINCESA DE LOS DRAGONES DE PLATA, COMANDANTA DE LA LUZ, CUSTODIA DE LOS SECRETOS DE LA LLAMA, GUARDIANA DEL REINO DRÁGICO.

Es una hábil arquera y una experta espadachina: pero ¡su espada y sus flechas son especiales!

No hieren, sino que curan, no ofenden, sino que defienden porque.... ¡están hechas de luz!

Son capaces de transformar a quien golpean: ¡los malos se convierten en buenos!

Alys es la Domadora de los Dragones de Plata: ¡sólo la obedecen a ella! Para adiestrarlos, usa una flauta de plata y un libro antiguo y valioso que contiene todos los secretos de su pueblo. ¡Sus páginas huelen a lavanda!

Alys ejercita a sus Dragones de Plata para volar en las condiciones más difíciles y efectuar acrobacias increíbles. En su país hay un campo de adiestramiento especial para los dragones con resfriado... ¡porque tienen la garganta en llamas!

El Gato con Botas

Se inclinó frente a mí una criatura de espeso **pelaje** gris, suave como la seda.

Sus **ojos** dorados como el ámbar refulgían con una luz **MALICIOSA**.

¡Qué afiladas eran sus **garras**!

Llevaba botas de suave piel roja y un sombrero de ala ancha. De su cintura pendía un espadín con la empuñadura incrustada de esmeraldas. Se alisó los largos bigotes:

—*¡Marramiau, mis* **FELINOS** *saludos a vos!*

¡Mi nombre es GRIS! Pero ¡me conocen también con el nombre de GATO CON BOTAS, o como MININO PARLANTE, o también como SEÑOR DE LOS FELINOS, o como TERROR DE LOS RATONES, o, si preferís, como CASTIGO DE LAS RATAS!

Yo bizqueé: ¡pero si aquello era un gato!

Un escalofrío me recorrió desde la punta de la cola hasta la punta de los bigotes.

Ejem, ¡yo soy un tipo un poco cobardica!

Pero entonces reuní fuerza y di un paso adelante.

Inclinándome, noté un terrible tufo de pescado...

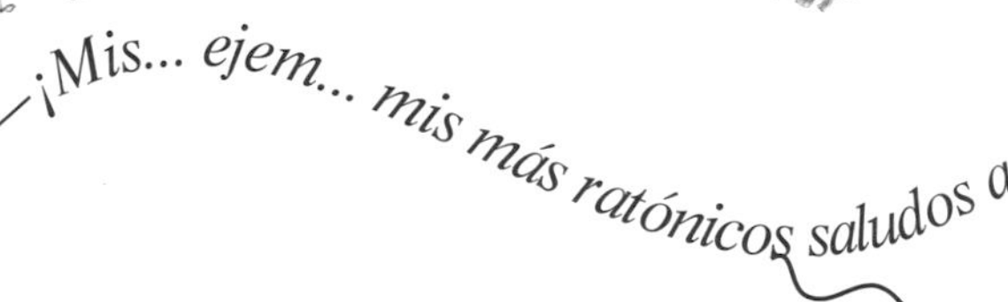
—¡Mis... ejem... mis más ratónicos saludos a vos!

El gato entrecerró los ojos y después se relamió los bigotes. ¡Por sus ojos pasó un relámpago de... hambre!

—¡Ñam! ¡Nunca había visto a un ratón tan **GRANDE**! Pero vos sois amigo de Floridiana: no os comeré. *¡Palabra de honor de felino!*

Luego me susurró al oído:

—¡Os aseguro que en realidad prefiero el pescado! Para merendar me acabo de comer un buen platazo.

En efecto, sus **bigotes** apestaban precisamente a pescado...* Un poco más seguro, dije:

Gris,
el Gato con Botas

* *¡Ve a la pág. 97 y huele el FantiTufo!*

GATO CON BOTAS

Gato con Botas

Embajador del País de los Cuentos

Su verdadero nombre es GRIS, pero también lo llaman MININO PARLANTE, SEÑOR DE LOS FELINOS, TERROR DE LOS RATONES, CASTIGO DE LAS RATAS.

Es el Embajador del País de los Cuentos, donde habitan todos los personajes de los cuentos y de las leyendas de todo el mundo.

¡Conoce todos los idiomas del Reino de la Fantasía y del mundo real, porque en todas las lenguas del mundo y en todos los rincones de la Tierra se cuentan cuentos!

Como Embajador del País de los Cuentos, debería ser muy bueno poniendo paz, en cambio, adora gastar bromitas y atormentar a sus amigos con mil fastidios.

Es siempre muy elegante y refinado: ¡posee una colección de botas de piel de todos los tipos!

Es un glotón de ratones, pero como Geronimo es amigo de Floridiana, ha hecho una excepción: ha prometido que sólo comerá pescado...

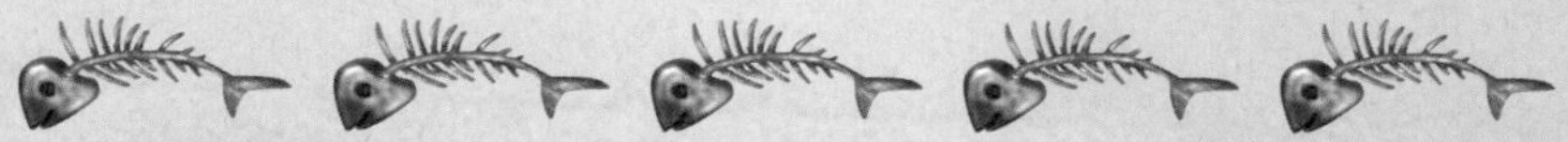

¡FantiTufo de la MERIENDA DEL GATO!

¡FROTA Y HUELE!

¡HE AQUÍ LA MERIENDA DEL GATO CON BOTAS!

ALGUIERA, LA NAVE PARLANTE

De lejos, me alcanzó una voz plateada.

—¡Yo también quiero formar parte de la Compañía!

—¿Quién ha hablado? —pregunté.

La voz repitió:

—¡Yo, la Nave Parlante! Me llamo

En el río que discurría por el Reino de los Gnomos estaba anclada una nave de MADERA AZUL, recamada en plata, con velas de seda.

La voz provenía del interior: ¡la nave no tenía boca, vibraba como un instrumento musical!

—Soy la embajadora del Bosque Parlante. He sido construida con madera de hadas azul, ¡por eso sé hablar! Mis velas están al servicio de la Reina de las Hadas.

Me subí a la nave y CORRÍ a abrazar la rueda del timón:

—¡BIENVENIDA A LA COMPAÑÍA!

ALGUIERA, LA NAVE PARLANTE

NOSOTROS, LA COMPAÑÍA DE LA FANTASÍA...

Ahora, la Compañía estaba al completo.

Aquella noche, frente a la Gran Asamblea del REINO DE LA FANTASÍA, se celebró una ceremonia: todos nos pusimos la mano derecha en el corazón y pronunciamos un solemne juramento.

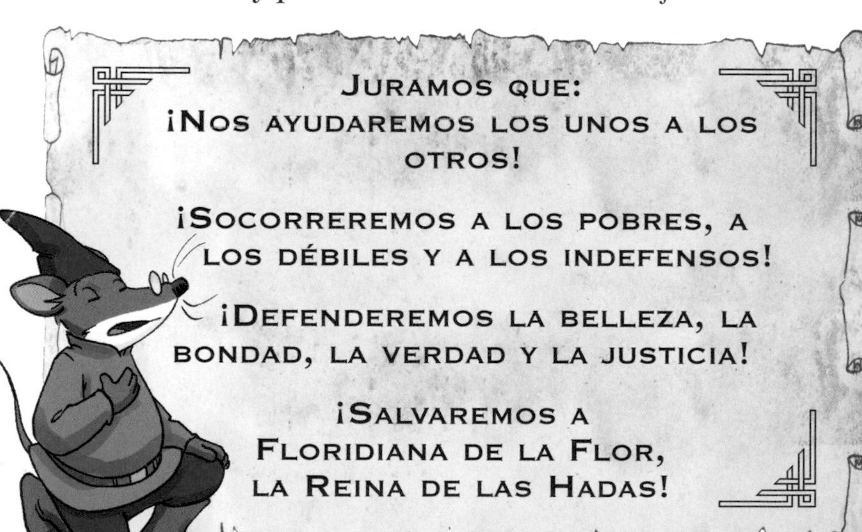

JURAMOS QUE:
¡NOS AYUDAREMOS LOS UNOS A LOS OTROS!
¡SOCORREREMOS A LOS POBRES, A LOS DÉBILES Y A LOS INDEFENSOS!
¡DEFENDEREMOS LA BELLEZA, LA BONDAD, LA VERDAD Y LA JUSTICIA!
¡SALVAREMOS A FLORIDIANA DE LA FLOR, LA REINA DE LAS HADAS!

—Después, el Rey de los Gnomos nos enseñó el saludo de la Compañía, que consiste en decir:

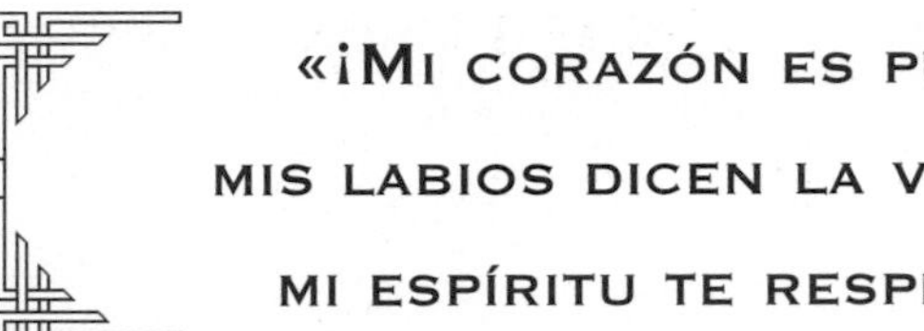

«¡MI CORAZÓN ES PURO,
MIS LABIOS DICEN LA VERDAD,
MI ESPÍRITU TE RESPETA!»

—¡Recordad! ¡No basta con pronunciar estas palabras, deberéis ponerlas en práctica! —explicó el Rey, serio.

Después de la ceremonia nos fuimos todos a dormir, ¡porque nos esperaba un viaje largo y peligroso! Al alba, partimos bajo la niebla y nos despedimos emocionados de los amigos que se quedaban. ¡Plumilla me dio un pergamino con un poema en mi honor y un diente de ajo!

—¡Caballero, os será útil en caso de tropezar con vampiros! ¡Quién sabe si volveréis vivo! Pero tranquilo, os construiré una bella TUMBA y...

Yo me apresuré a despedirme:

—¡Gracias por el detalle, pero será en otra ocasión!

¡La partida de la Compañía de la Fantasía!

N
O
E
S

¡UN REGALO DE DESPEDIDA PERFUMADO... DE AMISTAD!

En aquel momento, nos alcanzaron el Rey y la Reina de los Gnomos para despedirse una vez más. Setina, apresurada, me dio un

:

—¡Caballero, aceptad estas rosquillas especiales de los gnomos, las he preparado yo misma!

Yo se lo agradecí de corazón, sosteniendo entre las manos el envoltorio tibio y **perfumado**...*

Después miré a mi alrededor, porque quería despedirme de Pustulino, pero ¡no lo vi por ninguna parte! ¿Dónde se había metido?

Ah, claro: como de costumbre, ¡se había **mimetizado**!

¡VUELVE LA PÁGINA PARA VER DÓNDE SE HA MIMETIZADO PUSTULINO!

* *¡Ve a la pág. 105 y huele el FantiPerfume!*

¡HE AQUÍ LAS ROSQUILLAS
DE SETINA!

LEVE SOBRE LAS OLAS COMO UNA MARIPOSA DE LUZ...

La Nave Parlante centelleaba como una joya flotante! Seguiríamos el río hasta el Mar de los Sueños, y luego hasta el REINO DE LAS PESADILLAS.

—¿Quién guiará la nave? —dijo el Gato.

—No soy una nave como las demás. Sé navegar sola —se ofendió Alguiera.

—¡Vamos, entonces espabila, iza el ancla y partamos! —gritó el gigante.

La Nave exclamó, desplegando las velas:

—¡Eh, maleducado, pídelo *por favor*, o si no, no me muevo! ¿Comprendido?

—Señora Nave, ¿sería tan amable de izar el ancla, *por favor*? —Me incliné ante ella.

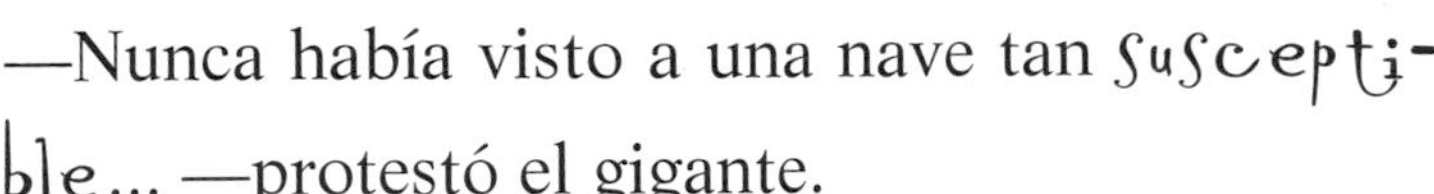

—Nunca había visto a una nave tan suscepti-ble... —protestó el gigante.

Alguiera exclamó de nuevo:

—Te he oído, ¿sabes? ¡Mira que te arrojo al agua!

El gigante se excusó:

—¡Perdona perdona perdona!

Yo miraba fascinado la RUEDA DEL TIMÓN, que giraba sola. Alguiera hendía las OLAS, levantando altos muros de ESPUMA: ¡volaba leve sobre la superficie del mar como una mariposa de luz!

Cuando se cansaba, la arrastraban sirenas, *delfines*, calamares gigantes...

Durante el viaje, a menudo subía al puente para hablar con Alguiera de muchas, muchas cosas: ¡nos habíamos convertido en ***GRANDES AMIGOS!***

ALGUIERA

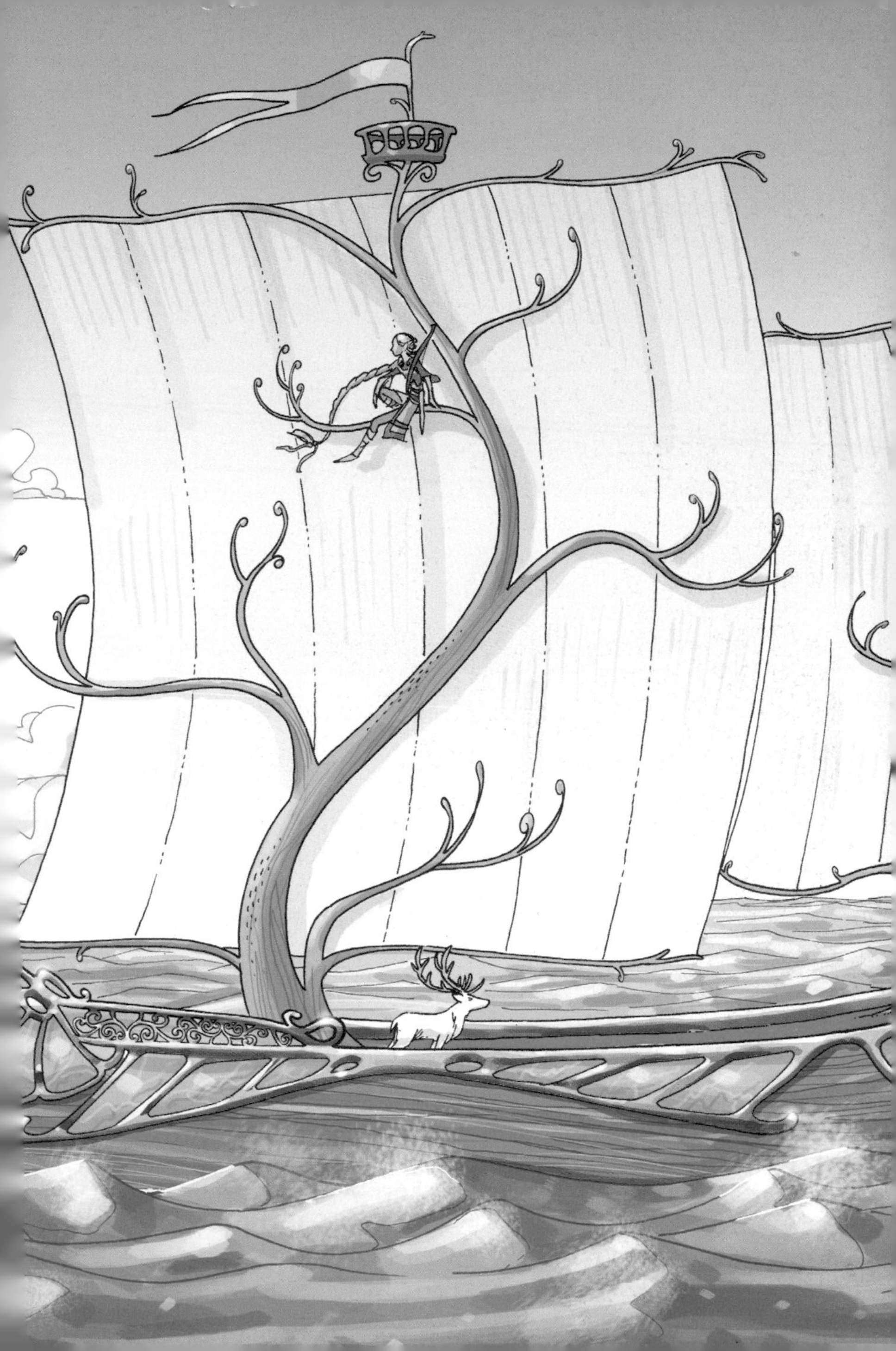

INTERIOR DE ALGUIERA

1

2

3

5

1. Sala de mando
2. Sala del tesoro
3. Puerta de las bodegas
4. Despacho del comandante
5. Árbol maestro
6. Camarote
7. Puente
8. Camarote de Geronimo
9. Baño
10. Cocina
11. Escalera de caracol
12. Provisiones
7
10
11
12

Yo conocía bien a mi amiga nave... Admiraba la madera con la que había sido construida, sus velas de seda *blanca*, las filigranas de plata. ¡Qué bonitas eran sus estancias!

Una noche subí al puente para darle las gracias:

—Gracias por todo lo que haces por nosotros, querida Alguiera.

También ella me dio las gracias:

—El *Gato* deja **pelo** por todos lados... el *gigante* **CORRE** arriba y abajo balanceándome con su peso... *Alys* me ha rasgado una vela con una flecha...

el *ciervo* me RAYA el puente con las pezuñas... ¡sólo *tú* me comprendes, eres mi amigo y me respetas!

Yo abracé el árbol maestro:

—¡Te quiero!

—¡En nombre de nuestra amistad, te daré *algo* que te será útil en la empresa a la que vais a enfrentaros! Ve a la Habitación Secreta, encontrarás un baúl de plata —dijo Alguiera.

Corrí a abrir el baúl: ¡contenía una armadura élfica de plata resplandeciente!

También había un anillo. Parecía hecho de LUZ y se elevó frente a mí, como para invitarme a ponérmelo.

El Anillo de Luz

Alguiera me exhortó:

—¡Vos sois el CABALLERO SIN MANCHA Y SIN MIEDO, pero también vos necesitáis ayuda para liberar a Floridiana. Tomad el *Anillo de Luz*, os ayudará a derrotar a **BRUJAXA**. ¡El Anillo emite un haz de luz blanca, de energía pura!

Me puse el Anillo: tenía incrustado un cristal purísimo. Vi que en el interior del anillo había unas palabras en Alfabeto Fantástico.

¿Puedes traducirlas?

¡INTENTA DESCIFRAR EL TEXTO!*

* Busca el Alfabeto Fantástico en la pág. 299

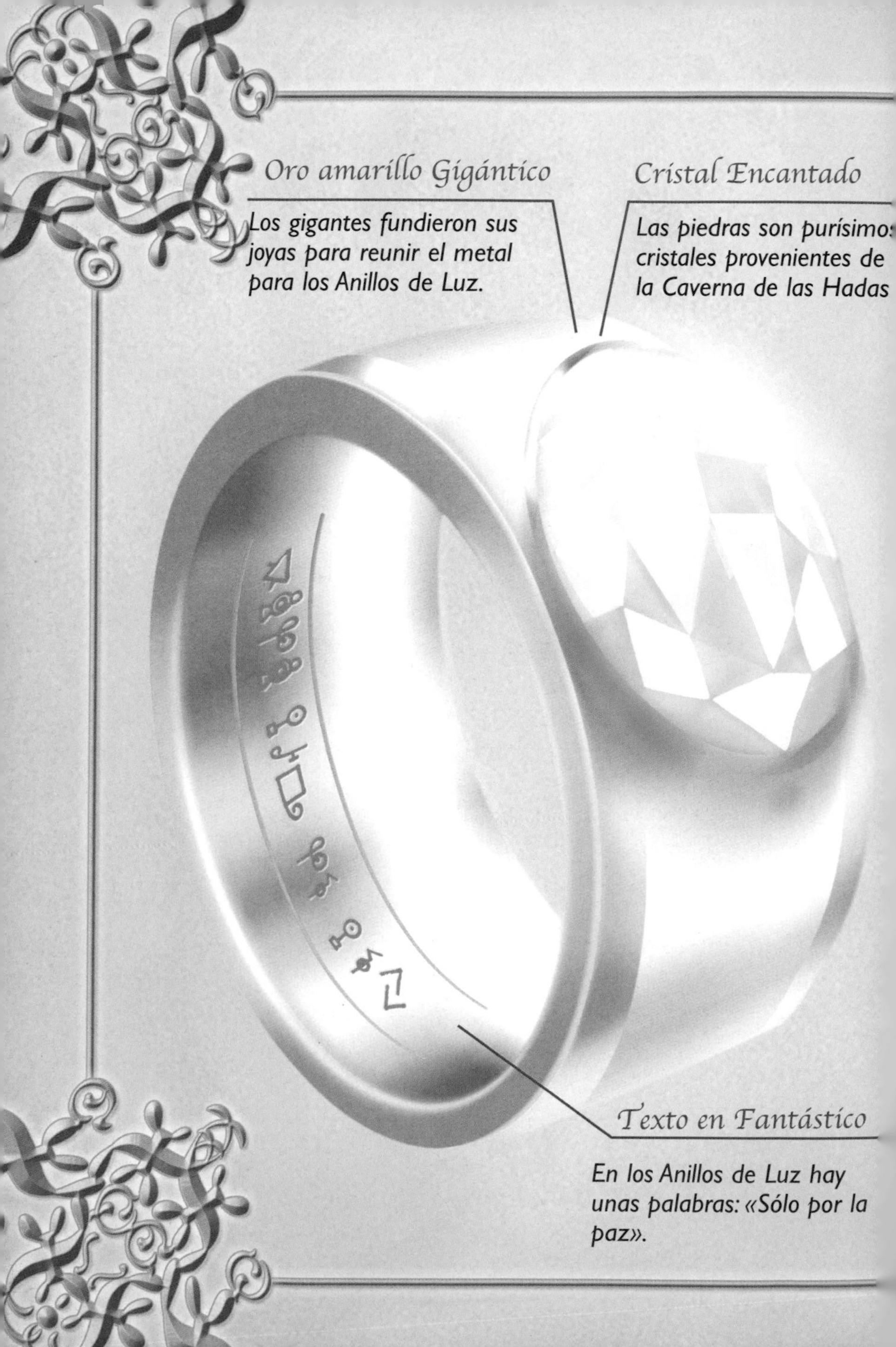
Oro amarillo Gigántico
Los gigantes fundieron sus joyas para reunir el metal para los Anillos de Luz.
Cristal Encantado
Las piedras son purísimos cristales provenientes de la Caverna de las Hadas
Texto en Fantástico
En los Anillos de Luz hay unas palabras: «Sólo por la paz».

Los Anillos de Luz

En el Reino de la Fantasía existen unos valiosos anillos, ¡los Anillos de Luz! Fueron forjados en la Noche de los Tiempos, en el corazón de la Caverna de Cristal de las Hadas, como símbolo de la Paz, de la Armonía y de la Unidad de los pueblos.

Cada Reino participó en la creación de los Anillos. Los Gigantes proporcionaron su metal precioso, los Dragones lo fundieron con su calor, los Elfos lo trabajaron, los Gnomos grabaron con sus hábiles picos las palabras. Las Hadas donaron los purísimos cristales que los adornan...

Cuando todos los Anillos de Luz estuvieron listos, cada Reino recibió uno en custodia, con la promesa de defenderlo y de protegerlo de los prepotentes y de los malvados.

Desafortunadamente, hace muchos, muchos años, algunos Anillos fueron robados y acabaron en manos equivocadas... Manos malvadas que los usaron de un modo incorrecto, turbando su naturaleza, ¡porque los usan como instrumentos de guerra y no de paz!

El adiestramiento del Caballero

Leí las palabras del Anillo: «¡Sólo por la Paz!». En aquel momento, entró Alys y se inclinó.

—Caballero, ahora poseéis uno de los Anillos de Luz. Tendréis que aprender...

¡el Arte Secreto de los Domadores de Dragones!

Subimos al puente y Alys tocó su flauta. Aparecieron el Dragón del Arco iris y Brillante, el dragón de Alys:

—¿Cuándo empezamos?

Alys hojeó el Manual de Domador de Dragones y leyó: Lección Número Uno: ¡cómo cuidar a vuestro dragón!

Pasé muchas horas aprendiendo cómo se cuida a un dragón. Después, Alys abrió de nuevo el libro y anunció:

—LECCIÓN NÚMERO DOS: ¡el combate aéreo!

¡Aprendí todas las maneras de despegar!

¡Y todas las maneras de aterrizar!

¡Y todas las acrobacias!

¡Y también todas las técnicas de combate!

Aquí tenéis las páginas del manual de Alys...

¡Vuelve la página para leer el manual de Alys!

¡El Arte Secreto de los Domadores de Dragones!

¿Estáis listos para convertiros en domadores de dragones? Con estas breves lecciones aprenderéis todas las técnicas para cuidar y cabalgar a vuestro dragón, y cómo tomar algunas pequeñas pero indispensables precauciones...

✱LECCIÓN NÚMERO UNO ✱

¡CÓMO CUIDAR A VUESTRO DRAGÓN!

ENSILLAR AL DRAGÓN

Es una operación simple, pero delicada...
Acordaos de apretar bien las cinchas, si no queréis precipitaros y aplastaros contra el suelo... Podría ser extremadamente desagradable. Y sobre todo ejercitaos a hacerlo de prisa: ¡los dragones tienen poca, es más, poquísima paciencia!

Lavarle los dientes

Atención: ¡el dolor de muelas lo pone nervioso!

Limarle las uñas

Mantened perfectamente cuidadas las patas de vuestro dragón.

Alimentación...

¡Un dragón necesita una alimentación variada, abundante y, sobre todo, muy, muy picante!

¡...Y digestión!

¡Un buen domador se ocupa siempre de los regalitos de su dragón!

¡Una precaución!

¡Nunca, absolutamente nunca, paséis por detrás de las patas de un dragón!

Al *Dragón del Arco iris* le gustaban mucho las lecciones de vuelo acrobático:

—¡Yu–juuuu! ¡Mira qué bueno soy! ¿Os divertís, Caballero?

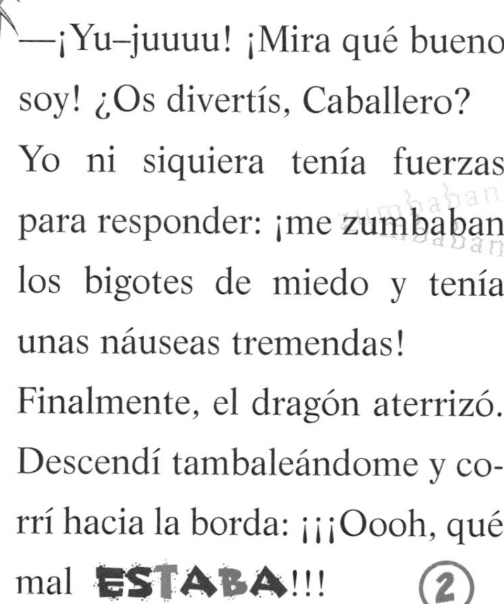

Yo ni siquiera tenía fuerzas para responder: ¡me zumbaban los bigotes de miedo y tenía unas náuseas tremendas!

Finalmente, el dragón aterrizó. Descendí tambaleándome y corrí hacia la borda: ¡¡¡Oooh, qué mal **ESTABA**!!!

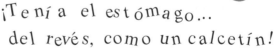

¡Tenía el estómago... del revés, como un calcetín!

Apenas tuve tiempo de llegar hasta la borda de la nave, asomarme y...

¡Pobre de mí!

Esperaba que el adiestramiento se hubiera acabado. Pero Alys abrió de nuevo el libro:

—Caballero, ¿estáis listo? Empieza la LECCIÓN NÚMERO TRES: cómo se usa el Anillo de Luz. ¡Y será la más difícil!

—¡Piedad, estoy destrozado! —imploré.

Pero ella exclamó decidida:

—¡Vamos, nada de excusas, Caballero! ¡Recordad que Floridiana está en peligro!

En aquel momento, llegó ROBUR con un paso solemne y majestuoso.

Me miró fijamente a los OJOS:

—Caballero, ¿estáis preparado para convertiros en un verdadero Custodio del Anillo?

Estaba aterrorizado: ¿qué más me esperaba? Entonces pensé en mi amiga Floridiana y respondí con un hilo de voz:

—¡S.. sí! Es... estoy pre... preparado...

Robur prosiguió:

—Antes de que Alys os enseñe a combatir con el Anillo, deberéis aprender a hacer que brote la luz.

—Pero ¿cómo? ¿Pulsando un BOTÓN?

—¡Eh, no, sería demasiado fácil! VACIAD vuestra mente, concentraos, alejad todo MIEDO y todo TEMOR... Pensad en algo bello y luminoso... Que vuestro corazón esté sereno. ¡Tened confianza en vos mismo!

—Pero ¡yo no sé cómo hacerlo!

—Ahora os dejo solo. Encontraréis dentro de vos la **FUERZA**. No temáis: ¡también vos conseguiréis hacer brotar la luz del Anillo!

Durante todo el viaje continué ejercitándome. ¡Probé y probé día y noche!

Entonces, la última noche, finalmente...

¡Del Anillo surgió un haz de LUZ BLANQUÍSIMA! Mi corazón se llenó de esperanza y alegría...

Alys aún tenía que enseñarme a combatir, pero...

¡Dentro de mí, en aquel momento estuve seguro de que liberaría a Floridiana!

Exclamé desde lo más profundo:

—¡¡¡El Bien triunfará!!!

—¡¡¡El Bien triunfará!!!

—¡¡¡El Bien triunfará!!!

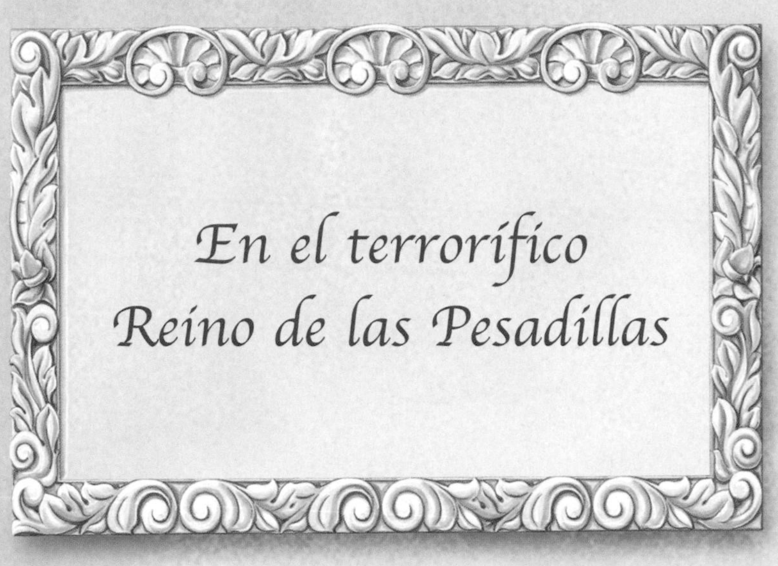

En el terrorífico Reino de las Pesadillas

Bienvenidos... ¡al Reino de las Pesadillas!

Durante el viaje, Alys me adiestró para combatir con el Anillo. El cielo estaba cada vez más humeante, el aire, irrespirable... ¡y nuestra moral descendía cada vez más!

Al alba del séptimo día echamos el ancla en el GOLFO DE LOS TRISTES DESPERTARES, y desembarcamos en la lúgubre PLAYA DEL ESCALOFRÍO. ¡Brrr! Empezó a llover, con rayos y truenos. ¡En el REINO DE LAS PESADILLAS siempre hacía mal tiempo!

Caligrama: palabras dispuestas de manera que forman un dibujo

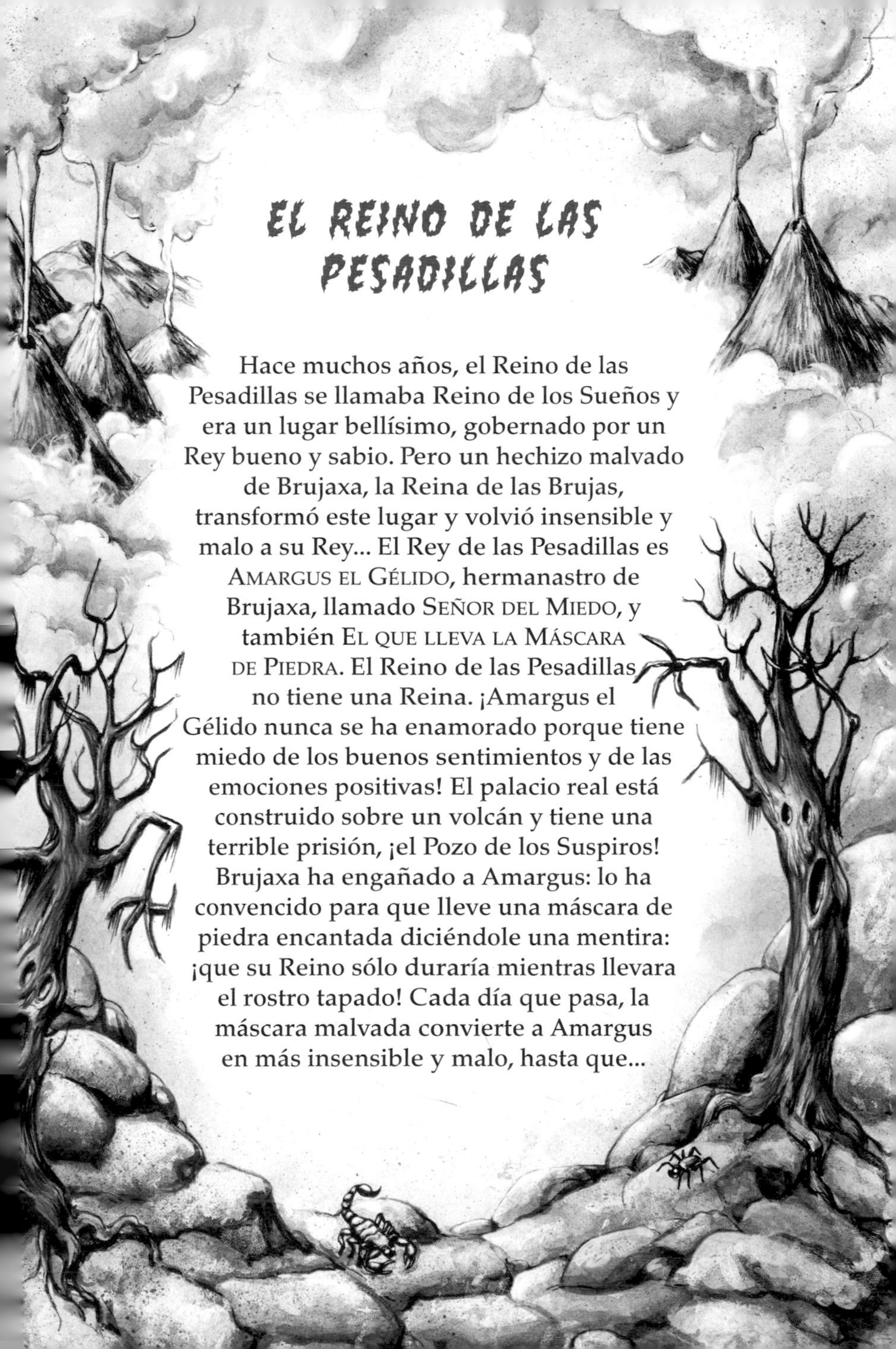

EL REINO DE LAS PESADILLAS

Hace muchos años, el Reino de las Pesadillas se llamaba Reino de los Sueños y era un lugar bellísimo, gobernado por un Rey bueno y sabio. Pero un hechizo malvado de Brujaxa, la Reina de las Brujas, transformó este lugar y volvió insensible y malo a su Rey... El Rey de las Pesadillas es AMARGUS EL GÉLIDO, hermanastro de Brujaxa, llamado SEÑOR DEL MIEDO, y también EL QUE LLEVA LA MÁSCARA DE PIEDRA. El Reino de las Pesadillas no tiene una Reina. ¡Amargus el Gélido nunca se ha enamorado porque tiene miedo de los buenos sentimientos y de las emociones positivas! El palacio real está construido sobre un volcán y tiene una terrible prisión, ¡el Pozo de los Suspiros! Brujaxa ha engañado a Amargus: lo ha convencido para que lleve una máscara de piedra encantada diciéndole una mentira: ¡que su Reino sólo duraría mientras llevara el rostro tapado! Cada día que pasa, la máscara malvada convierte a Amargus en más insensible y malo, hasta que...

Viaje al Reino de las Pesadillas

N
O
E
S

Viaje de Alguiera

Golfo de los Tristes Despertares

Playa del Escalofrío

Pico Monstruoso

¡La Compañía se reencontrará aquí

Puente Vertiginoso

Volcán Escupehumo

Estrecho del Miedo

Viaje a pie
Viaje por mar
Viaje de retorno
Aquí, alguien deja la Compañía
Lugar de encuentro

Trono
del Poder

Volcán de
las Pesadillas

Desierto de Hielo y de Fue

Bosque Espinoso

Lago de los
Fantasmas

Selva
Susurrante

Lago Pánico

Pantano
Baboso

Laguna Pálida

Meseta de la Angustia

Castillo de los
Antiguos Sueños

Bosque Apestoso

Río de los Recuerdos Perdidos

¡ENTRE AMIGOS HAY QUE HACER LAS PACES!

Acampamos en la PLAYA DEL ESCALOFRÍO.*

Yo saqué las rosquillas de la Reina de los Gnomos. ¡Qué buenas estaban!

El gigante empezó a roer cebollas crudas, y el Gato, pescado apestoso... ¡Qué tremenda peste!

En la *brújula de plata* miré la dirección a seguir para encontrar a Floridiana. Valeroso olfateó disgustado su sombrero:

—¿Quién se ha hecho pipí en mi sombrero? ¿Quién? ¿¿Quién?? ¿¿¿Quién???

*Sigue el viaje en el mapa de las págs. 132-133

El gigante gritó:

—¡Sé que has sido tú, Gatazo con Botas! ¡Esta vez te has pasado: te voy a PELAR y REPELAR! ¡Esto es mi sombrero, no un orinal!

El Gato se subió a una encina y desde lo alto empezó a lanzar bellotas a la cabeza del gigante.

—¡No darás conmigo, cabeza de higo!
¡Eres más lento que una tortuga, corazón de lechuga!
¡Lo digo y lo repito, tienes un cerebro de mosquito!

Valeroso estaba fuera de sí de rabia:

—¿Cómo te atreves? ¡Pequeño insolente de bigotes apestosos!

—¡Tienes envidia porque yo tengo los bigotes más bonitos que tú! ¡Y a ti te APESTA EL ALIENTO!

—maulló el Gato.

Yo intenté detenerlos.

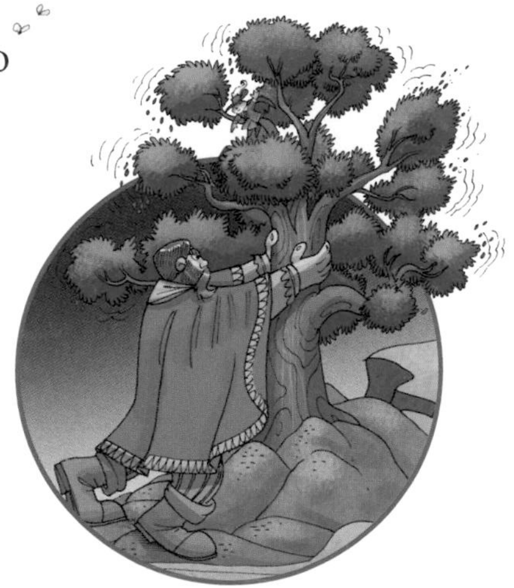

—¡Dejadlo ya, por favor! —dije con firmeza.

Pero ambos continuaron peleándose.

Entonces, el ciervo dio un paso adelante y gritó:

—¡Basta!

Había tanta autoridad en su voz que todos se detuvieron.

—¡QUÉ VERGÜENZA! ¡Hemos jurado ayudarnos los unos a los otros! Somos una Compañía y tenemos una misión que cumplir. Entre nosotros debe haber paz —prosiguió.

El gigante se **RUBORIZÓ** de vergüenza:

—Pido perdón a toda la Compañía.

También el Gato susurró arrepentido:

—Ejem, perdóname, amigo Valeroso, ¿hacemos las paces? Me he pasado con las bromitas, no lo haré más. ¡Palabra de honor de felino!

¡HAGAMOS LAS PACES!

Sería bonito estar siempre de acuerdo con todos, pero ¡no siempre es fácil! A veces se discute también con los amigos más queridos... ¡Para construir la paz debemos ponernos en el lugar del otro y pedir perdón si nos hemos equivocado!

¡Adiós, Nave Parlante!

Al día siguiente tuvimos que despedirnos de Alguiera:*

—Iría con vosotros, pero no sé caminar... Llevadle a la Reina esta PERLA y decidle: ¡También la Nave Parlante partió para salvaros, también la Nave Parlante estaba en la Compañía!

La perla de la Nave

—¡Siento mucho que nos dejes, querida amiga! Salvaremos a *Floridiana* y le daremos tu regalo. Los dragones se quedarán contigo para protegerte, cuidar de ti y llevarte a casa.

Ella respondió:

—¡Contad conmigo, ahora y siempre! —dijo ella.

* *Sigue el viaje en el mapa de las págs. 132-133*

¡ADIÓS, GIGANTE!

Parecía que caminábamos desde hacía siglos. Era **TRISTE** viajar por aquel País **OSCURO**, y seguramente encontraríamos trolls. Atravesamos el ESTRECHO DEL MIEDO* pero el gigante era demasiado **GRANDE**, ¡y una de sus botas quedó atrapada! Él intentó sacarla, mientras el Gato le tomaba el pelo:

—*¡Bobo, saca el pie!*

—¡Uff la bota está atascada! —dijo Valeroso.

Intentamos ayudarlo todos juntos: el pie salió... pero ¡la bota siguió atascada!

* *Sigue el viaje en el mapa de las págs. 132-133*

Valeroso reemprendió el camino, pero se HE-RÍA el pie desnudo con las piedras. Avanzaba cada vez más lentamente y sufría en silencio.

Cuando llegamos cerca del Volcán Escupehumo* había tanto humo que nos faltaba el aire y los ojos empezaron a lagrimearnos...

Yo lo comprendí todo: precisamente de allí surgían las nubes que cubrían el *Reino de la Fantasía* e impedían a los rayos de sol calentar la tierra. ¡Por eso hacía tanto frío, por eso había vuelto el invierno!

—¡Basta de este humo, este FRÍO y esta peste! ¡Voy a apagar este volcán, yo me ocupo de ello! ¡Yo soy fortísimo! —declaró el gigante.

—*Yo-yo-yo*, pero ¿quién te crees que eres? Ahora te falta una bota, ¿qué cres que vas a poder hacer, grandote? —se burló el Gato.

Yo los interrumpí:

—¡Callaos todos! ¡Primero debemos seguir la *brújula* y salvar a Floridiana!

* *Sigue el viaje en el mapa de las págs. 132-133*

—¡Es verdad, amigos, el Gato tiene razón! ¡No puedo apagar el volcán y os hago ir demasiado despacio! —dijo triste el gigante.

Se quitó el ANILLO y dijo:

—Llevádselo a la Reina y decidle: ¡También el gigante partió para salvaros, también el gigante estaba en la *Compañía*!

—Ejem, ¿no podrías darme algo menos... **PESADO**? —pregunté.

Él se quitó una pluma del sombrero, yo la guardé y le di un abrazo.

—Siento mucho que nos dejes, amigo. Salvaremos a *Floridiana* y le daremos tu regalo. ¡Espéranos en el VOLCÁN ESCUPEHUMO!

¡ADIÓS, GATO CON BOTAS!

Reemprendimos el viaje sin **VALEROSO**.

¡Cómo echaba de menos a mi **GIGANTESCO AMIGO**!

Me di cuenta de que el Gato también lo añoraba un poco, porque no sabía con quién discutir.

En un momento dado MAULLÓ:

—Uff, qué aburrimiento, al menos con el gigante se podía charlar...

Pasamos al lado del BOSQUE APESTOSO,* envuelto en una nube de *mosquitos*.

Justo después, nos encontramos frente al tremendo RÍO DE LOS RECUERDOS PERDIDOS.*

* *Sigue el viaje en el mapa de las págs. 132-133*

Las aguas del río discurrían impetuosas, formando CASCADAS y **remolinos** muy peligrosos. ¡Sólo podría cruzarlo quien supiera nadar muy bien!

Yo anuncié a la Compañía:

—Desafortunadamente no hay puente, ¡atravesaremos el río a nado!

El Gato palideció:

—¿NADAR? ¿Quieres decir zambullirse? ¿Mojarse todo el pelaje? ¿Empaparse los bigotes? ¡Ni en sueños, pedídmelo todo... pero nadar **NO**, soy un gato! Caballero, perdonadme, pero también yo debo abandonaros —maulló, triste. Después sacudió la cabeza—: ¡Qué pena que no esté el gigante! ¡Él me habría llevado sobre los hombros y habría podido continuar con vosotros! Es muy cierto que en la *Compañía* todos son importantes...

El Gato se arrancó un pelo del bigote y lo puso en un medallón.

—Llevadle a la Reina este pelo del bigote y decidle: ¡También el Gato partió para salvaros, también el Gato estaba en la *Compañía*!

Yo lo abracé:

—Siento mucho que nos dejes, amigo. Salvaremos a Floridiana y le daremos tu regalo. ¡Espéranos en el VOLCÁN ESCUPEHUMO!

EL PELO DEL GATO

¡ADIÓS, PRINCESA DE LOS DRAGONES DE PLATA!

Sólo quedábamos tres: el Rey Robur, Alys y yo, el CABALLERO SIN MANCHA Y SIN MIEDO, como me llamaban mis compañeros...

Pero ¡yo tenía mucho miedo, es más, muchísimo! ¡Atravesamos lugares aterradores, TRISTES como la soledad, feos como una pesadilla y DESIERTOS como un frigorífico en agosto!

Acabábamos de pasar el PANTANO BABOSO* cuando del agua pegajosa salió una SERPIENTE gigantesca, con un solo ojo y dientes AFILADOS como cuchillos. ¡QUÉ MIEDO!

El monstruo siseó malvado, arrastrándose amenazador hacia nosotros y dejando tras de sí un rastro de BABA viscosa y apestosa.

* *Sigue el viaje en el mapa de las págs. 132-133*

¡FantiTufo de baba de monstruo!

Rasca y huele

¡He aquí la baba de la serpiente babosa!

Él nos cerró el camino para impedirnos proseguir. ¡Alguno de nosotros debía entretenerlo mientras la Compañía proseguía! Pero ¿quién? ¿Quién? ¿¿Quién?? ¿¿¿Quién???

Alys se ofreció voluntaria:

—¡Caballero, yo me quedaré para distraer a esta FEROZ CRIATURA!

Sacó de su alforja la flauta de plata.

—Llevádsela a la Reina y decidle: ¡También Alys partió para salvaros, también Alys estaba en la *Compañía*!

Nos abrazó a todos.

Después, decidida, extrajo la **ESPADA**.

Yo estaba emocionado:

—Siento mucho que nos dejes, valiente amiga. Salvaremos a Floridiana y le daremos tu regalo. ¡Espéranos en el VOLCÁN ESCUPEHUMO!

¡ADIÓS, CIERVO ROBUR!

Ahora sólo quedábamos dos.

¿Cómo conseguiríamos salvar a Floridiana? ¡Menos mal que aún me quedaba ROBUR!

Pasamos la terrible Selva Susurrante* y después entramos en el Bosque Espinoso.*

Yo pensé: «¿Por qué se llamará así?».

Pero tras unos pocos pasos, lo supe.

PINCHABAN PINCHABAN

¡Cómo **PINCHABAN** aquellas espinas!

PINCHABAN PINCHABAN

¡Y cuanto más entrábamos en el bosque, las espinas eran cada vez más *afiladas*!

El ciervo, impedido por sus grandes cuernos, avanzaba cada vez más despacio...

* *Sigue el viaje en el mapa de las págs. 132-133*

despacio despacio despacio despacio despacio...

Hasta que en un momento dado dijo:

—¡Perdonadme, pero yo también **DEBO** abandonaros! ¡Os hago ir demasiado despacio!

Yo le rogué:

—¡No, amigo, no me dejes tú también! Yo te ayudaré. Ten, come una rosquilla: ¡te alimentará, te dará **FUERZA**!

Decidí usar el Anillo de Luz para abrirle camino, **CORTANDO** aquellas gruesas ramas espinosas.

Era agotador, pero yo lo hacía con ganas...

Llegados a un cierto punto, él se detuvo, cansadísimo.

—Gracias por vuestros esfuerzos, Caballero, pero debéis proseguir solo: ¡yo os hago ir muy DESPACIO y Floridiana os necesita!

Se quitó el colgante que llevaba al cuello.

—Llevádselo a la Reina y decidle: ¡También el ciervo partió para salvaros, también el ciervo estaba en la Compañía!

Yo lo abracé:

—Siento mucho que también tú me dejes, amigo. ¡Espérame en el VOLCÁN ESCUPEHUMO!

SOLO...
EN UN ILIMITADO DESIERTO DE HIELO

Bajo la luna llena, ahora estaba solo solo solo.

Cansado cansado cansado..

¡Estaba muy demasiado tan cansado!

Esas palabras me daban vueltas en el cerebro, provocándome vértigo, ¿o quizá lo que me daba vértigo era el cansancio?

Me tapé el morro con las patas y lloré.

Pero hacía tanto **FRÍO** que las lágrimas congeladas caían al suelo. ¡Y también tenía hambre!

¡plic! ¡plic! ¡plic! ¡plic! ¡plic! ¡plic! ¡plic!

* *Sigue el viaje en el mapa de las págs. 132-133*

Rebusqué en mi alforja y encontré la última rosquilla, perfumada de VAINILLA. La roí a gusto... ¡Qué bue-ña!

¡NUNCA ESTAMOS SOLOS!

Cuando estés triste y en dificultades, quizá tengas la impresión de estar solo o sola... ¡No es así! Busca en tu corazón... ¡El afecto de quien te quiere bien siempre está contigo!

Las rosquillas de Setina estaban hechas con mucho amor y me dieron fuerzas para seguir. Consulté la *brújula de plata*: ¡desafortunadamente, no había duda! Indicaba el NORTE, hacia el VOLCÁN DE LAS PESADILLAS.*

En aquel instante, de la alforja se deslizó hacia fuera un *pergamino*: ¡era el poema de Plumilla! ¡Aquellas *palabras afectuosas* y divertidas me calentaron el corazón!

¿Qué es un amigo?

Cuando estás abajo,
él tira de ti hacia arriba,
cuando
no sabes qué hacer,
él te sabe consolar.
Comparte contigo alegría
y dolor,
siempre tiene un lugar
para ti
en su corazón.
Y ahora te digo:
¡no hay tesoro más
valioso
que un amigo!
¡Y tengo una buena
noticia para ti... tú tienes
un buen amigo en mí!

Después miré hacia el norte y vi el VOLCÁN DE LAS PESADILLAS. **Brillaba** a la luz de la luna y era tan alto que la cumbre se elevaba por encima de las nubes.

Pobre de mí,
¿cómo
conseguiría
escalarlo?

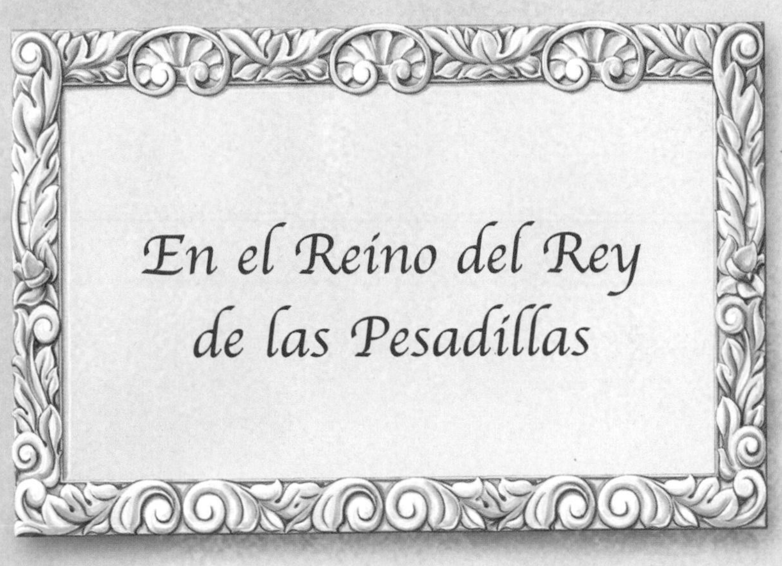

En el Reino del Rey de las Pesadillas

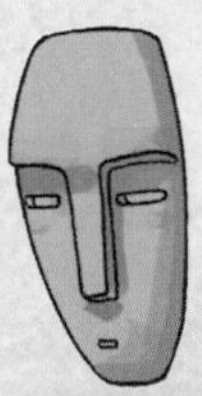

¡Qué pequeño me siento...
en este inmenso Desierto
de Hielo y de Fuego!

El Desierto de Hielo y de Fuego

Aún caminé mucho, muuuuuucho rato. ¡Qué oscuro estaba todo! Con un último esfuerzo, me arrastré hacia la cima del **VOLCÁN**.

Las patas me resbalaban sobre el HIELO y tenía el morro aterido, con gotas congeladas que me colgaban de los bigotes.

Daba 1 paso adelante y 3 atrás, resbalé un poco y, por un instante, sólo por un instante (pero ¡qué instante!), pensé que...

¡me precipitaba al vacíoooooooooooooooo!

Reuní fuerzas, pensando que debía salvar a Floridiana. El pensamiento de nuestra amistad me dio valentía y con un último esfuerzo llegué a la cima del volcán.

Descansé unos segundos para recobrar el aliento, con el *corazón* latiéndome con fuerza por el esfuerzo. Miré a mi alrededor...

¡Qué increíble paisaje de **HIELO** y de **FUEGO**!

Había nieve por todos lados, pero la blancura deslumbrante estaba interrumpida por miles y miles y miles de volcanes que, hasta donde alcanzaba la vista, hasta el horizonte, expulsaban **LLAMAS** y HUMO.

¡UN ASCENSOR... HACIA LAS PESADILLAS!

Exploré la cima del volcán: era **plana** y estaba **NEVADA**, como un pastel recubierto de azúcar glas.

En el centro se elevaba un **TRONO DE PIEDRA** con respaldo alto. Me pregunté:

—¿Cómo conseguiré entrar en el reino del **REY**

DE LAS PESADILLAS? ¿Dónde está la entrada?

Pobre de mí, me faltaba el aire por el esfuerzo de la escalada. Así que me senté en el trono para descansar un poquito.

¡Qué extraño!

¡La piedra estaba tibia, como caliente por dentro! Entonces, ¡el trono empezó a vibrar y descendió lentamente, llevándome hacia abajo abajo abajo del volcán misterioso!

¡Me parecía descender...
en un ascensor...
un ascensor hacia las PESADILLAS*!*

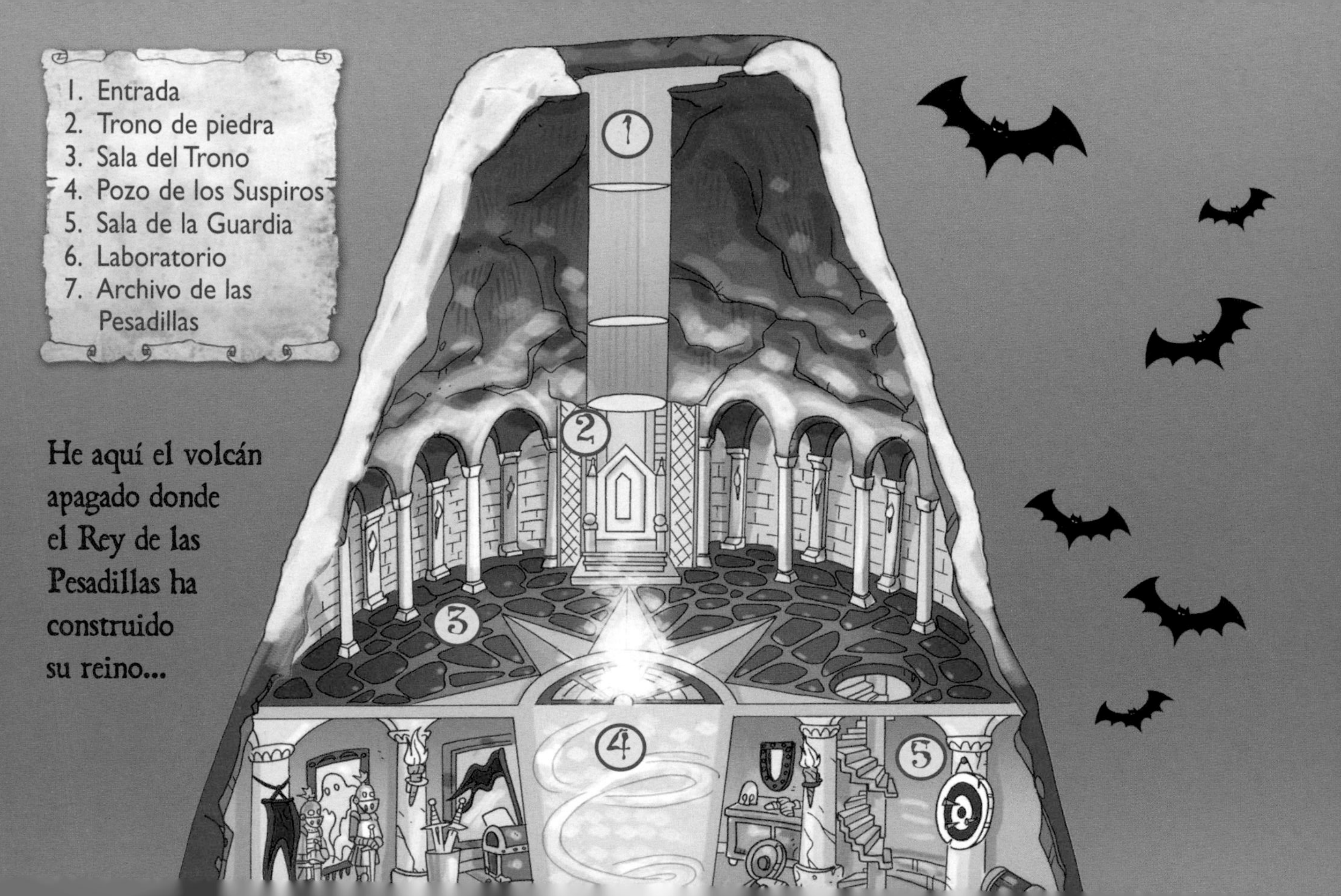
1. Entrada
2. Trono de piedra
3. Sala del Trono
4. Pozo de los Suspiros
5. Sala de la Guardia
6. Laboratorio
7. Archivo de las Pesadillas
1
2
3
4
5
He aquí el volcán apagado donde el Rey de las Pesadillas ha construido su reino...

6
7
Reino del Rey de las Pesadillas

ABAJO ABAJO ABAJO EN EL POZO DE LOS SUSPIROS

El trono descendió abajo abajo abajo, atravesando una galería anchísima y oscura, y se detuvo en una inmensa sala redonda, excavada en la PIEDRA. Bajé del trono y miré a mi alrededor, pasmado. Todo era de piedra: las paredes, el suelo, los techos...

¡QUÉ CALOR HACÍA!

¡Parecía estar en un horno encendido! Las paredes estaban calientes: ¡lógico, estaba dentro de un volcán! Detrás de mí estaba el trono, delante, una estrecha ventana con un balcón; a mi alrededor, muchas COLUMNAS de piedra maciza. En el centro de la sala había un pozo cubierto con una reja de metal en forma de **TELARAÑA**.

¡INTENTA DESCIFRAR EL TEXTO!*

*Encontrarás el Alfabeto Fantástico en la pág. 299

Leí en voz alta lo que había escrito alrededor: POZO DE LOS SUSPIROS.

¡Cuanto más permanecía en la estancia, más notaba una sensación de opresión!

Sentía como un peso en el corazón.

Pero ¿por qué olía aquel vago perfume de rosas que me recordaba a la Reina de las Hadas?

De repente, oí un débil canto.

Provenía del centro de la habitación.

Me acerqué y el perfume de rosas se hizo más intenso.

Me asomé para mirar dentro del pozo, ¡y el perfume de rosas se hizo fortísimo! El pozo estaba OSCURO como la tripa de un gato hambriento.

Pero en el fondo en el fondo en el fondo...

¡Había una vaga claridad azulada!

Oí las notas de una dulcísima canción...

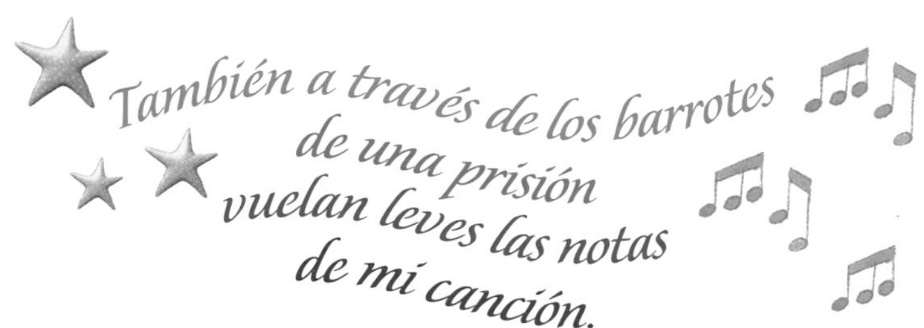

También a través de los barrotes
de una prisión
vuelan leves las notas
de mi canción.

Yo grité:

—¡Floridianaaaaaa!

Entonces, me tapé la boca con una pata, aterrorizado: ¿¿¿quizá me había oído alguien???

LO INTENTÉ Y LO INTENTÉ...

Volví a asomarme al pozo:

—¡Majestad! ¿Cómo estáis?

Una voz armoniosa preguntó:

—¿Quién se asoma a mi triste **PRISIÓN**?

—¡Mi nombre es Stilton, *Geronimo Stilton*! —susurré.

—Caballero, ¿de verdad sois vos?

—¡Sí, mi Reina! Pero ¡estoy aquí sólo gracias a la ayuda de la Compañía! ¡Tengo regalos para vos, en señal de fidelidad!

Entonces intenté levantar la reja de metal.

Pero ¡era pe–sa–dí–si–ma!

Lo intenté y lo intenté, lo intenté y lo intenté, lo intenté y lo intenté, lo intenté y lo intenté, lo intenté y lo intenté, lo intenté y lo intenté, lo intenté y lo intenté, lo intenté y lo intenté, lo intenté y lo intenté con todas mis fuerzas...

Pero ¡no moví la reja ni un milímetro!

Se oyó un **RUIDO DE PASOS** que se acercaban.

Ella me aconsejó:

—¡Rápido, ***HUID***, no os expongáis al PELIGRO por mi culpa!

Yo me escondí detrás de una columna.

¿Quién llegaba?

¿Quién? ¿¿Quién?? ¿¿¿Quién???

¿Quién viene?

¡Taratán
¡Taratán
¡Taratán
taratán
taratán
taratán
taratán
taratánnn!
taratánnn!
taratánnn!

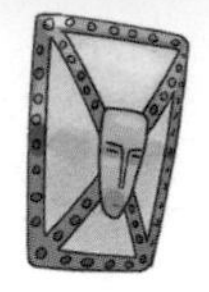

El Ejército de las Máscaras de Piedra

Entró una fila de **Caballeros de Piedra**, que se dispusieron alrededor del Pozo de los Suspiros. El capitán miró hacia abajo:

—¡La Reina de las Hadas aún es nuestra prisionera! ¡Todo va bien!

Los caballeros golpearon las lanzas contra los escudos rítmicamente, produciendo un ruido ensordecedor.

¡Taratán taratán taratánnn!

El capitán exclamó:

—Fuerza y poder para **Amargus**, Rey de las Pesadillas, Señor de las Máscaras de Piedra...

Los caballeros golpearon de nuevo las lanzas contra los escudos.

¡Taratán taratán taratánnn!

—¡Gracias a él someteremos a nuestros enemigos, gracias a él reinaremos en todo el Reino de la Fantasíaaaaaaaaaaaaaaa!

Todos los caballeros golpearon con las lanzas en el suelo en el mismo instante, produciendo un ruido ***SECO*** y fortísimo:

¡¡¡Taratánnn!!!

A aquella señal, todos los **Caballeros de Piedra** salieron ruidosamente de la Sala del Trono. En cuanto el ruido de sus pasos se desvaneció, yo me deslicé fuera y me sequé el sudor de los bigotes: ¡Uff!

Corrí hacia la reja que cerraba el POZO DE LOS SUSPIROS y comencé de nuevo a tirar con todas mis fuerzas, pero oí otra vez **RUIDO DE PASOS**...

—*Por mil quesos de bola...* ¿y ahora quién es?

Entonces me escondí detrás de la columna.

¿Quién llegaba?

¿Quién? ¿¿Quién?? ¿¿¿Quién???

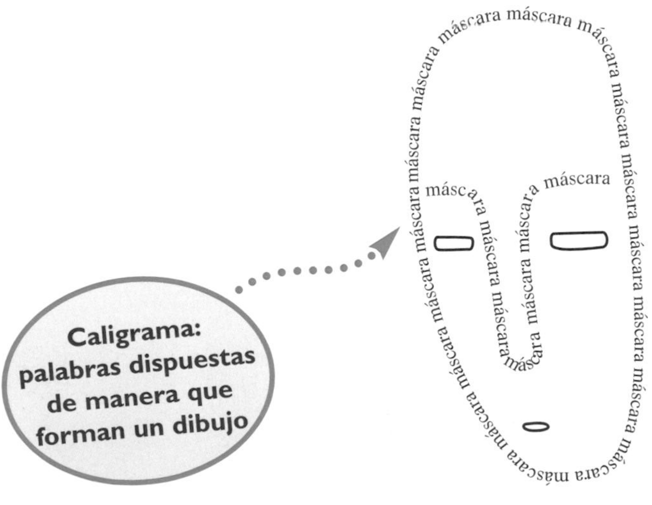

Caligrama: palabras dispuestas de manera que forman un dibujo

TRES MURCIÉLAGOS, UNA MOFETA... ¡Y UN ESCORPIÓN!

Entró una mujer, alta y esbelta que sostenía un candelabro con forma de **murciélago**. Tenía largos cabellos rubios, ojos almendrados de **DOS COLORES** y llevaba zapatos de seda. La reconocí en seguida: era bellísima..., pero su mirada era PÉRFIDA como la de una víbora.

Se asomó al Pozo de los Suspiros y se rió con malicia:

—¡Por fin estás en mi **PODER**!

¡Yo palidecí, porque quien había gritado era Brujaxa, la perfidísima Reina de las ... BRUJAS!

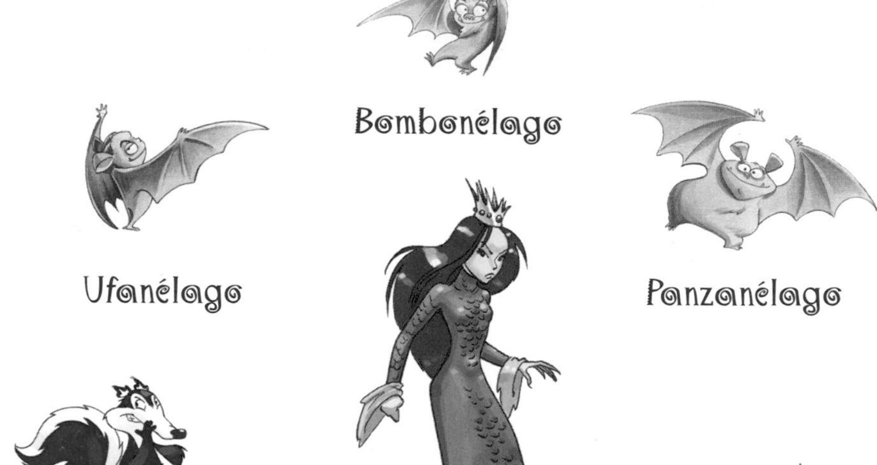

La bruja iba acompañada por tres **murcielaguitos**, una **mofeta** y un **escorpión**.

Ella olfateó el aire:

—Hum, noto un olorcito a ratón...

Los tres murcielaguitos chillaron uno tras otro:

—¡La bruja...

nota...

... olor a ratón!

¡Iban a descubrirme! Pero ¡por suerte se olió un **tufo tremendo**! ¡Ufff!

La bruja gritó:

—¿Quién ha sido?

¡Yo me tiro pedetes...
porque soy una mofeta!

El escorpión se chivó:

—¡Ha sido la **mofeta**!

Los murcielaguitos batieron las alas en el aire.

—¡Basta de pedetes, o me haré contigo unos guantes, una bufanda y un forro para las zapatillas! —gritó Brujaxa.

En cuanto se fueron, yo me deslicé fuera. Corrí hacia el Pozo de los Suspiros y comencé de nuevo a tirar, pero oí otra vez **RUIDO DE PASOS**.

Me escondí detrás de la columna.

¿Quién llegaba?

¿Quién? ¿¿Quién?? ¿¿¿Quién???

El secreto de la Máscara de Piedra

Entró otra fila de Caballeros de Piedra marchando con pesados pasos.

¡TUMP TUMP TUMP!

Los Caballeros transportaban una litera con las cortinas bajadas. El capitán gritó:

—¡Rendid honores al REY DE LAS PESADILLAS!

Un pie, elegantemente calzado con una bota de piel negra, se posó en el suelo. Entreví el dobladillo de una capa de seda negra. Finalmente, salió *él*. El **extraño personaje** avanzó hacia el trono. Se volvió: en lugar de rostro tenía una...

¡MÁSCARA DE PIEDRA!

Entreví sus ojos: ¡qué TRISTES eran!

Los cabellos **negros** como ala de cuervo estaban atados en una coleta. Llevaba un anillo en el dedo.

El Rey dio una palmada y señaló el pozo.

Los Caballeros de Piedra levantaron la reja negra y sacaron a Floridiana.

El Rey dio dos palmadas y señaló la puerta.

Los Caballeros de Piedra salieron.

El Rey dio tres palmadas y señaló a Floridiana.

Entonces dijo con voz profunda como un trueno en una noche sin luna...

—Yo, Amargus, Rey de las Pesadillas, ordeno: ¡canta para mí, Reina de las Hadas! Quiero saber si es cierto lo que se dice del Canto de las Hadas, y si es tan EXTRAORDINARIO. ¡Obedece, canta para mí!

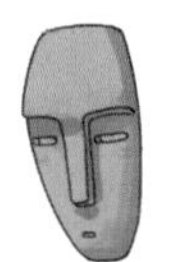       

Dulce y valiosa es una lágrima de alegría...

El hada cantó con voz de pajarillo:

Dulce y valiosa
es una lágrima de alegría,
nada vale más en el mundo...

El Rey arrugó el entrecejo.

¡El Bien te llena,
el Mal te abandona!

El Rey tamborileó con los dedos.

¡Oh, tú, que tienes el desierto
en el corazón,
deja que la lluvia de la bondad
haga florecer tus sentimientos!

—¡Basta! Esas palabras me fastidian. Canta otra cosa.

—¡Así *cantan* las hadas! —dijo Floridiana.

Entonces empezó a bailar.

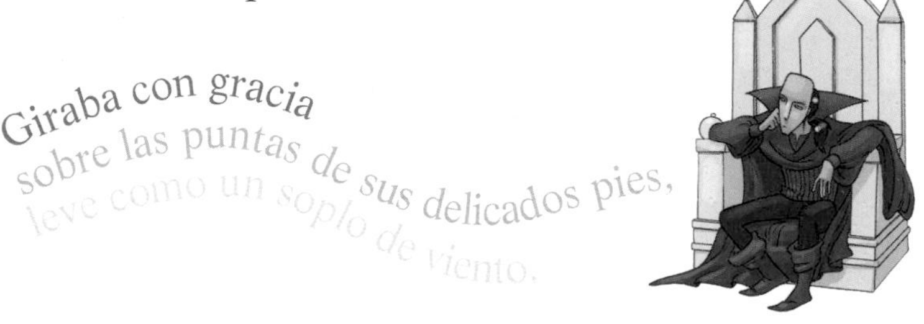

Giraba con gracia
sobre las puntas de sus delicados pies,
leve como un soplo de viento.

El Rey la miraba como hipnotizado.

¡Me di cuenta de que su **MÁSCARA** se estaba rajando!

—¡Pobre de mí, ya nunca seré el mismo! ¡Por primera vez he experimentado un *sentimiento*! ¡Vos habéis traspasado la coraza que me cubre el corazón! —murmuró.

El hada sonrió:

—¡Dejad que la bondad, la BELLEZA y la ALEGRÍA iluminen en vuestro corazón! 

El hada bailaba bailaba bailaba,
tan leve que parecía no tocar el suelo,
y mientras tanto cantaba cantaba cantaba.

Pero de repente, la puerta se abrió y...

¡¡¡El Bien te llena!!!
¡¡¡El Bien te llena!!!
El Mal te abandona...

¡¡¡El Bien te llena!!!

¡El Bien te llena!!!

¡¡¡El Bien te llena!!!

El oscuro Ejército

La puerta se abrió y entró Brujaxa, que gritó:

—¡SSSSSILENCIOOOOOOOOOOO! Hermanassstro, ¿por qué pierdesss el tiempo con cantosss y bailesss essstúpidosss? Mi OSSS-CURO EJÉRCITO essstá preparado para conquissstar el Reino de la Fantasssía. ¡Sssólo faltan tusss mil CABALLEROSSS DE PIEDRA!

Me fijé en que Brujaxa llevaba en el dedo uno de los Anillos... y que otro estaba en el dedo de Amargus. El Rey de las Pesadillas callaba, mientras Brujaxa...

... SE ASOMÓ
AL BALCÓN
Y CON GÉLIDOS OJOS
MIRÓ
AL EJÉRCITO
QUE VENÍA
HACIA
NOSOTROS.

¡Brujas!
¡Orcos y Troll
¡Caballeros sin Corazón!

¡Dragones de Fuego!
¡Venceremooooos!
¡Caballeros de Piedra!
¡Orquitos!

¡LLEGA EL OSCURO EJÉRCITO DE LAS PESADILLAS!

BRUJAS: ¡malignas y fastidiosas, les tienen envidia a las hadas, sobre todo a Floridiana!

ORCOS: ¡grandes, gordos, feroces y peligrosos, sobre todo si tienen hambre...! ¡Es decir, siempre!

ORQUITOS: ¡pequeños, ágiles, malvados y cobardes, atacan siempre por la espalda!

CABALLEROS SIN CORAZÓN: ¡armaduras vacías, comandadas sólo por la maligna voluntad de Brujaxa!

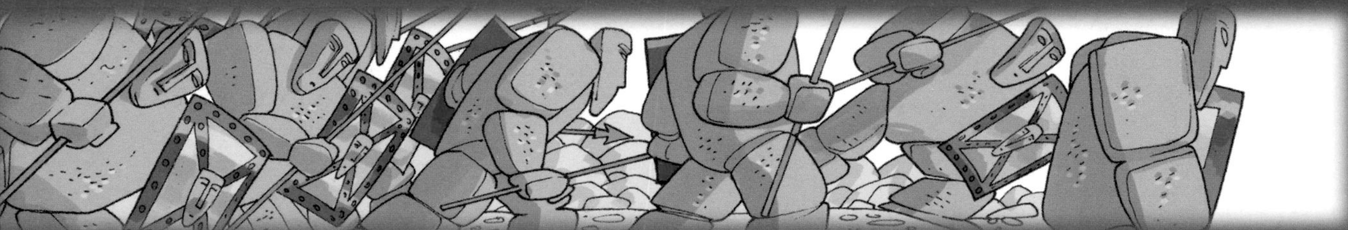

CABALLEROS DE PIEDRA: ¡mil poderosos, macizos, invencibles, caballeros... de granito!

TROLLS: ¡armados con enormes cachiporras son feos y malvados... pero sobre todo apestosos!

El Primer duelo de los Anillos

En cuanto el Oscuro Ejército se reunió al pie del Volcán de las Pesadillas, Brujaxa dio un discurso desde el balcón. Después, entró en la sala, rápida como un torbellino. En seguida siseó CRUEL y ÁGIDA:

—Vamos, hermanastro, mete al hada en el Pozo de los Suspiros.

Brujaxa chilló:

—¡Adelante! ¿A qué esssperasss? ¡Mete al hada en el pozo, ssse quedará ahí para sssiempre! ¡He hecho un HECHIZO que nadie podrá vencer!

—Ya basta de MAGIA, basta de tus ideas de GUERRA, de CONQUISTA, de PODER —respondió Amargus.

Brujaxa se enfureció:

—¿Cómo te atrevesss? ¡Nadie puede ofender a la REINA DE LAS BRUJASSS!

¡Salvaré a Floridiana!

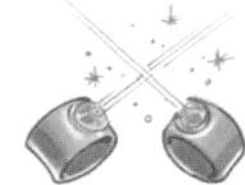

Entonces el anillo de Brujaxa empezó a resplandecer. Salió un haz de luz blanca. Ella sonrió pérfida, y después gritó:

—¡En guardia, hermanassstro!

—No quiero combatir —murmuró Amargus.

Pero la bruja lo ATACÓ y él se vio obligado a responder y a usar su anillo para defenderse.

Los dos iniciaron un tremendo duelo. ¡Es triste y TERRIBLE ver a dos hermanos luchar entre sí! Amargus era más robusto, pero Brujaxa era más ágil: se movía rapidísima, parando cada golpe.

Ella decía PALABRAS MALVADAS:

—¡¡¡Mete al hada en el pozo, quiero encarcelarla para sssiempre!!!

Él respondía con *palabras buenas*:

—¡Salvaré a Floridiana a costa de mi vida!

Me fijé en que, a cada gesto en defensa de Floridiana, la ropa de Amargus cambiaba de color: del NEGRO pasaba al... AZUL.

¡¡¡Estaba volviéndose bueno!!!

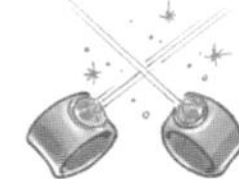

¡Finalmente, con una repentina finta, la luz blanca del anillo de Brujaxa golpeó a Amargus!

Él...

cayó...

al suelo...

Yo estaba emocionado y admirado por su valentía: ¡había arriesgado su vida por Floridiana! En aquel momento, Amargus se volvió AZUL por completo. La máscara se rompió y del anillo surgió una descarga de luz que iluminó su cuerpo. Mientras le aparecían alas, Amargus se volvió transparente, de la misma materia que los sueños... ¡de la misma materia que las *hadas*!

¡FLAP, FLAP, FLAP!

Brujaxa se volvió hacia Floridiana:

—¡Ahora te toca a ti!

El picó a Floridiana, que se puso **PALIDÍSIMA** y se desmayó.

Los tres la aferraron con sus GARRAS y la elevaron en vuelo.

La se tiró un pedete for-tí-si-mo y llenó la habitación con un GAS IRRITANTE que hacía lagrimear los ojos y toser desesperadamente.

La aprovechó la **CONFUSIÓN** para correr hacia la ventana.

El  la esperaba fuera...

Ella saltó a su grupa y voló lejos, llevándose consigo a Floridiana...

¡VUELO CON EL VIENTO!

Yo me asomé a la ventana: ¡la bruja había saltado sobre su terrible DRAGÓN NEGRO, que la esperaba fuera! Brujaxa voló lejos, riendo ferozmente.

¡¡¡JA, JA, JA, JA, JA, JA, JA!!!

¡VUELO CON EL VIENTO
HUYO EN UN MOMENTO
LA REINA DEL MIEDO SSSSOY
Y POR LOSSS AIRESSS VOY
A DAROSSS TORMENTO!

¡¡¡JA, JA, JA, JA, JA, JA, JA!!!

Me incliné sobre Amargus:

—Gracias por haber defendido a la Reina de las Hadas. ¿Puedo hacer algo por vos, valiente amigo?

Él suspiró débilmente:

—¡Demasiado tarde he descubierto la dulzura del *amor*! Demasiado tarde se han roto la máscara de piedra y el hechizo de Brujaxa. ¡Mi vida se acaba! Pero soy feliz, porque la acabo en la *Bondad*.

De repente, se me ocurrió una idea y saqué el frasquito que me había dado la Reina de los Gnomos. Vertí una gota en la herida...

En seguida, el Rey se reanimó: ¡las LÁGRIMAS DE DRAGÓN estaban haciendo su efecto!

Amargus abrió de nuevo los ojos.

—¡Caballero, vuestra medicina me ha salvado! ¡Siento que la vida vuelve a correr por mis venas! Pero ¡ahora, rápido, salvad a *Floridiana*!

Me disgustaba dejarlo solo, pero Amargus insistió y decidí partir.

¡Salvad a Floridiana!

Por suerte, todavía tenía conmigo la flauta de plata que Alys me había dado para Floridiana.

Me asomé al balcón y la toqué.

Rápido como un rayo, llegó el Dragón del Arco iris, que se acercó para dejarme montar sobre él.

—¡Caballero! Saltad sobre mi grupa... ¡Palabra de dragón que alcanzaremos a la BRUJA!

Me aferré al cuello dorado del dragón, que, con un batir de alas, inició la persecución.

Juntos gritamos:

—¡Salvaremos a la Reina de las Hadaaaaaaaaaaaaaaaaaaaaaaaaaaaaaaaaaaaaaaaaaaaaaaaaaaaaaaaaaaaaaaaaaaaaaaaaaaaaaaaaaaaaaaaaaaaaaaaaaas!

¡Duelo entre dragones!

El Dragón Negro era sólo un puntito oscuro en el horizonte. ¡Se dirigía al sur, hacia el **REINO DE LAS BRUJAS**!

Yo lo incité:

—¡Date prisa, amigo dragón! ¡Date prisa o la bruja huirá! ¡La salvación del *Reino de la Fantasía* depende de la fuerza de tus alas y de la velocidad de tu vuelo!

Él redobló los esfuerzos. Volaba concentradísimo, aprovechando cada vacío de aire, cada SOPLO de viento, cada CORRIENTE.

A mí me zumbaban los bigotes de miedo. ¡Me aferré al cuello del dragón mientras él volaba VELOCÍSIMO. ¡Arribaaa! ¡Abajooo! ¡Arribaaa! ¡Abajooo!

¡Ooooh qué vééééééééértigoooooo!

En un momento dado, miré hacia abajo... Pero cerré los OJOS en seguida: ¡tenía vértigo! Cuando finalmente los abrí, la vi: ¡era ella, precisamente ella, la bruja! ¡Estaba justo debajo de nosotros! ¡Mi dragón se lanzó en picado hacia su Dragón Negro.

—¡Ríndete! ¡Libera a nuestra Reina! —grité.

La bruja contestó con voz estridente:

—¡Nunca!

El Dragón Negro intentó morder una PATA del Dragón del Arco iris... Pero ¡él, ágil, retiró la pata y dio un buen golpe con la cola en la cabezota del Dragón Negro!

Entonces, la bruja intentó golpearme con la luz de su anillo. Pero ¡también mi anillo se iluminó con una intensa luz azul!

¡Los haces de luz de nuestros anillos se cruzaron y chocaron soltando mil chispas!

Por suerte, recordé las enseñanzas de Alys sobre el vuelo acrobático. Hice que mi dragón realizara un rapidísimo ascenso, después un giro perfecto, después un descenso en espiraaaaaaaaaaaaaal...

¡LA BRUJA PENSÓ QUE ME ESTABA CAYENDO!

En cambio, detuve la caída de repente, miré a la bruja directamente a los ojos y grité:

—¡*Por mil quesos de bola*, tienes un enorme GRANO en la nariz!

Ella se quedó de piedra y luego gritó:

—¡Noooo! ¡Qué horror!

¡Aproveché aquel instante de distracción y conseguí golpear al DRAGÓN NEGRO!

Me concentré, dejé la mente en blanco... e intenté pensar en algo luminoso, pero ¡no me venía nada a la cabeza!

Entonces ¡pensé en la clara y dulce sonrisa de Floridiana, y con todas mis fuerzas deseé la victoria del Bien!

¡En aquel momento, de mi anillo surgió una descarga de LUZ AZUL y el dragón fue derrotado!

¿PODER, GLORIA O DINERO?

¡El Dragón Negro dio un vuelco, hizo caer a Brujaxa y voló lejos de la **MALVADA** Reina de las Brujas!

Brujaxa se levantó e intentó tentarme, con voz dulce como la **MIEL**:

—Caballero, ¿quizásss osss interessse **MANDAR** en el mundo entero? Puedo darosss sssoldadosss, ejércitosss, un trono...

—Verdaderamente, no me interesa —respondí.

Ella prosiguió:

—Entoncesss, ¿os interesssaría ssser famoso? Puedo haceros célebre en todo el mundo.

—Verdaderamente, no me interesa —respondí.

Ella prosiguió:

—Entoncesss, ¿osss interesssará ssser RICO? Puedo darosss tesorosss, joyasss, oro...

—Verdaderamente, no me interesa —respondí.

La bruja pataleó, enfadada.

—Entoncesss, ¡decidme qué queréisss a cambio de TRAICIONAR a Floridiana! ¡Puedo darosss lo que me pidáisss!

Yo sacudí la cabeza:

—¡Nada me hará olvidar la *fidelidad* a mi Reina!

—**¡TE ARREPENTIRÁSSS!** —gritó Brujaxa.

¡TRIUNFA EL BIEN!

Cruzamos de nuevo los haces de nuestros anillos.

Brujaxa dijo:

—¡Osss advierto, nada de golpesss bajosss!

—Pues claro, nada de golpes bajos. Éste será un *combate leal* y... —respondí.

Pero ¡mientras aún estaba hablando, ella aprovechó para golpearme por *sorpresa*!

¡Toma esssto!
Pero... ¡eso no es leal!
...¡Y esssto!
¡Ayayayy!

—¡Eso no es *leal*! —protesté.

Ella **rió**, malvada:

—¡Sssólo un bobo ssse cree las promesssasss de una bruja!

Entonces me agredió, lanzando golpes poderosísimos y alcanzándome **ferozmente**.

Los haces de luz de los anillos cruzándose creaban una lluvia de chispas blancas y azules. Los brazos me dolían del esfuerzo, pero apreté los dientes y seguí devolviendo golpe tras golpe, como me había enseñado Alys.

¡Y esssto otro!
¡Pobre de mí!
Ooooooh...
Et voilà!

¡Qué agradecido le estaba por las lecciones que me había dado!

Ella chilló:

—¡Caballero, essstoy cansssada de tus essstratagemasss! Primero mi hermanassstro, dessspuésss mi valiosssísssimo Dragón Negro! ¡Ahora bassta!

¡¡¡HARÉ
QUE TE
ARREPIEN-
TASSS!!!

¡La bruja estaba cegada por la RABIA!

Me hacía temblar los bigotes de miedo..., pero aproveché su distracción y conseguí golpearla con la luz de mi anillo. La Reina de las Brujas estaba derrotada: ¡el Bien había triunfado! ¡Brujaxa se **ESCAPÓ** elevada por sus murciélagos!

Entonces yo me quité el anillo, lo levanté hacia el cielo y grité feliz:

¡¡¡Hemos derrotado a la Reina de las Brujas!!!

¡A VUESTRO SERVICIO, MAJESTAD!

¡Después de haber vencido a la bruja, estaba tan CANSADO que ni siquiera tenía fuerzas para subir al dragón!

Él me aferró entre los dientes y delicadamente me elevó, posándome sobre su grupa.

También levantó a la Reina de las Hadas.

—Todo ha acabado ya, Caballero... —dijo dulcemente.

Tomó carrerilla y levantó el vuelo. Yo me dormí, mecido en el nido caliente de las alas del dragón. Volvimos al VOLCÁN DE LAS PESADILLAS para salvar a Amargus, HERIDO por la bruja. Llegamos después de horas y horas y horas...

El dragón cargó a Amargus en su grupa y partió hacia el VOLCÁN ESCUPEHUMO.*

Volamos día y noche tres días seguidos. Durante el viaje, le conté a Floridiana todas las aventuras de la Compañía y finalmente conseguí darle los REGALOS de mis amigos.

Al alba del tercer día, avistamos el lugar de encuentro. Vi a mis amigos correr de aquí para allá en la llanura.

—¡He vuelto! ¡Y conmigo nuestra Reina! —grité.

Finalmente, el Dragón del Arco iris aterrizó, levantando una nube de polvo.

Todos se arrodillaron frente a Floridiana.

*Sigue el viaje en el mapa de las págs. 132-133

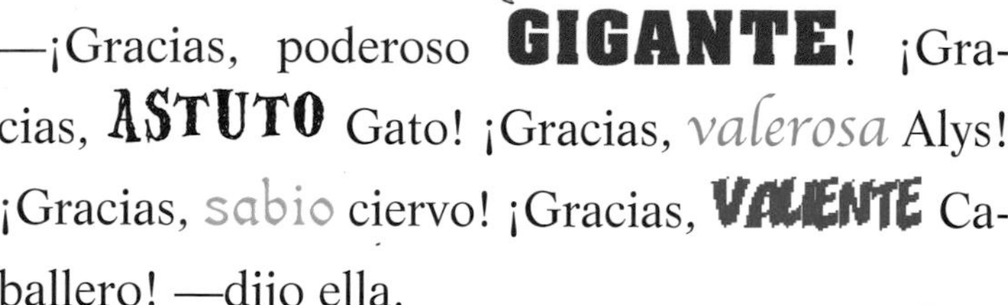

—¡Gracias, poderoso GIGANTE! ¡Gracias, ASTUTO Gato! ¡Gracias, valerosa Alys! ¡Gracias, sabio ciervo! ¡Gracias, VALIENTE Caballero! —dijo ella.

Yo me ruboricé como un tomate:

—Majestad, yo no soy valiente... ¡He tenido tanto MIEDO!

—¡No es valiente el que nunca tiene miedo, sino quien tiene miedo y lo supera! —dijo ella dulcemente.

—¡Viva Floridiana! —gritamos todos.

—Amigos de la Compañía, ahora que nuestra dulce Reina está sana y salva, nos resta una última empresa que cumplir, y es...

¡APAGAR EL VOLCÁN ESCUPEHUMO!

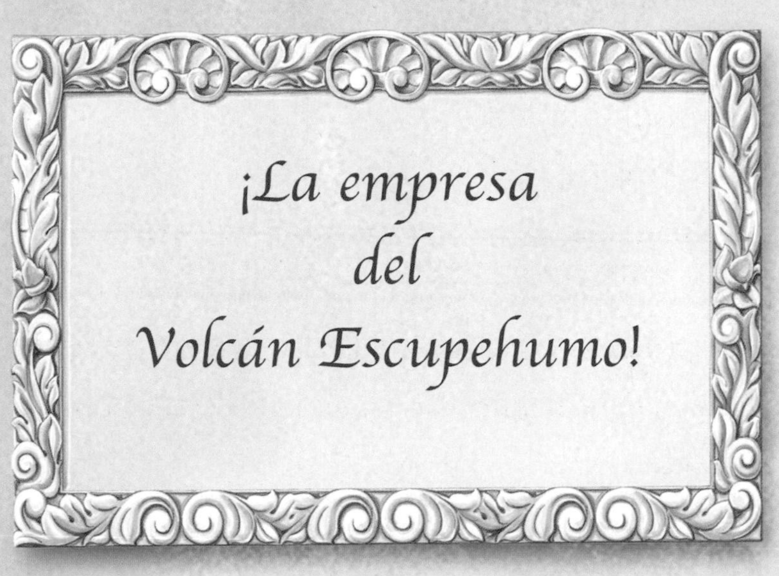

¡La empresa del Volcán Escupehumo!

La última empresa de la Compañía

A la mañana siguiente, el Dragón del Arco iris condujo a la Reina de las Hadas y a AMARGUS a la PLAYA DEL ESCALOFRÍO, donde nos esperaban ALGUIERA y el Dragón de Plata.

Yo empecé a escalar el Volcán Escupehumo junto con el ciervo Robur, Alys, Valeroso y el Gato con Botas. ¡Era empinadísimo!

Mientras nos arrastrábamos, el terreno...

¡temblaba cada vez con más fuerza!

¡El VOLCÁN estaba activo!

Escupía llamas, lava incandescente y piedras encendidas. Pero ¡sobre todo desprendía un densísimo y sofocante humo gris!

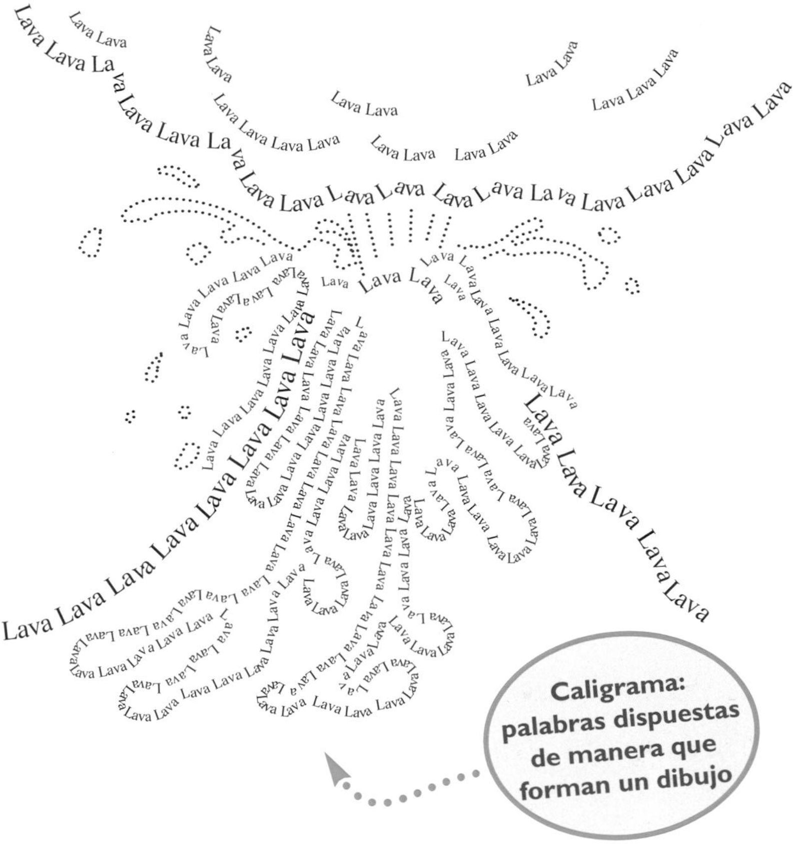

Caligrama: palabras dispuestas de manera que forman un dibujo

Era impresionante ver la columna de **humo** que se elevaba del **VOLCÁN**, llenando el cielo. ¡Qué empinado era el camino hasta la cumbre! ¡Cuando llegamos a la cima del volcán estábamos

CANSADÍSIMOS y totalmente **NEGROS** por el hollín! Miramos en torno al centro del volcán, y finalmente encontramos una escalera excavada en la roca, que descendía... descendía... descendía...

descendía... descendía... descendía... descendía... descendía... descendía... descendía... descendía... descendía... descendía... descendía... descendía... descendía... descendía... desdendía a las profundidades del volcán...

EL SECRETO DEL VOLCÁN ESCUPEHUMO

Guié a mis amigos por aquella única vía de acceso. Descendimos **temblorosos** por la escalera que nos llevaba cada vez más hacia abajo.

¡Qué miedo!

Os lo he dicho, yo no soy un tipo nada valiente.

¿Qué era lo que me esperaba?

¿Qué era capaz de producir un **humo** tan denso?

¿**Cómo** lo hacía? ¿**Dónde** estaba escondido? ¿**Cuándo** había empezado? Pero sobre todo... **¿por qué?**

¡La escalera descendía...

descendía...

descendía...

y el calor aumentaba!

Cuando llegamos al fondo de la escalera, nos encontramos en un corredor de piedra donde el calor era insoportable.

Al fondo del corredor había una **puerta de piedra**. Apoyé la pata en ella para abrirla, pero ¡quemaba!

¡Era **DURÍSIMA**!

¡Estaba **ARDIENDO**!

Yo grité:

—¡AAAAAAYYYY!

Después me tapé la boca con una pata, aterrorizado: ¿¿¿quizá me había oído alguien???

Oímos un ruido extrañísimo:

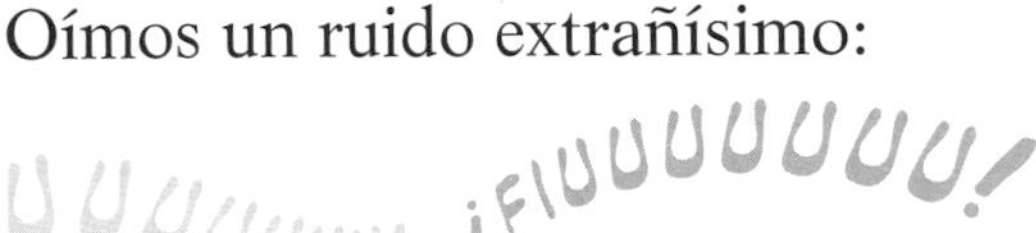

¡Fiuuuuuuu! ¡Fiuuuuuuu! ¡Fiuuuuuuu!

Parecía... parecía el sonido de una respiración, pero ¡era **FORTÍSIMO**!

Empujé la puerta y entramos.

Nos encontramos en una estancia circular enorme y oscura, como una enorme olla con tapa. En un rincón había una especie de horno donde QUEMABA un fuego inmenso que desprendía un calor tremendo.

Al lado del fuego había un fuelle, un instrumento que sirve para soplar en el **FUEGO** y hacer que queme con más fuerza.

¡El fuelle era enorme, grande como un autobús! ¿Quién podía hacerlo funcionar?

Tres pisos de Chica Ahumada

De repente, de la sombra salió una manaza enorme, con dedos gruesos como TUBERÍAS DE GAS. La manaza accionó una manivela arriba y abajo, arriba y abajo, arriba y abajo.

¿A quién pertenecía la manaza?

¿A quién? ¿¿A quién?? ¿¿¿A quién???

Después, de la sombra salió también un brazo grande como un FURGÓN.

Salió también un pie, grande como un CAMIÓN DE TRASLADOS.

Después, una carota sucia de hollín, redonda como una LUNA LLENA, se inclinó sobre el fuego para controlar que quemara bien. En efecto, el fuego quemaba muy bien, y el humo gris subía espeso hacia el techo. Salía a través del cráter hasta llenar todo el cielo.

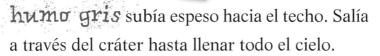

¡Eso era lo que producía el humo gris que contaminaba el REINO DE LA FANTASÍA!

¡Eso era lo que impedía a la luz del sol llegar al suelo!

¡Eso era lo que provocaba aquel GÉLIDO invierno!

Di un paso adelante y grité:

—¡**DETENTE!**

Pensaba que el gigantesco personaje me agrediría, en cambio empezó a temblar e imploró:

—¡No me hagas daño, te lo ruego!

¡*Era una voz* femenina!

Observé mejor aquellos tres pisos de CHICA ahumada por el humo. Sólo entonces comprendí.

¡Era una

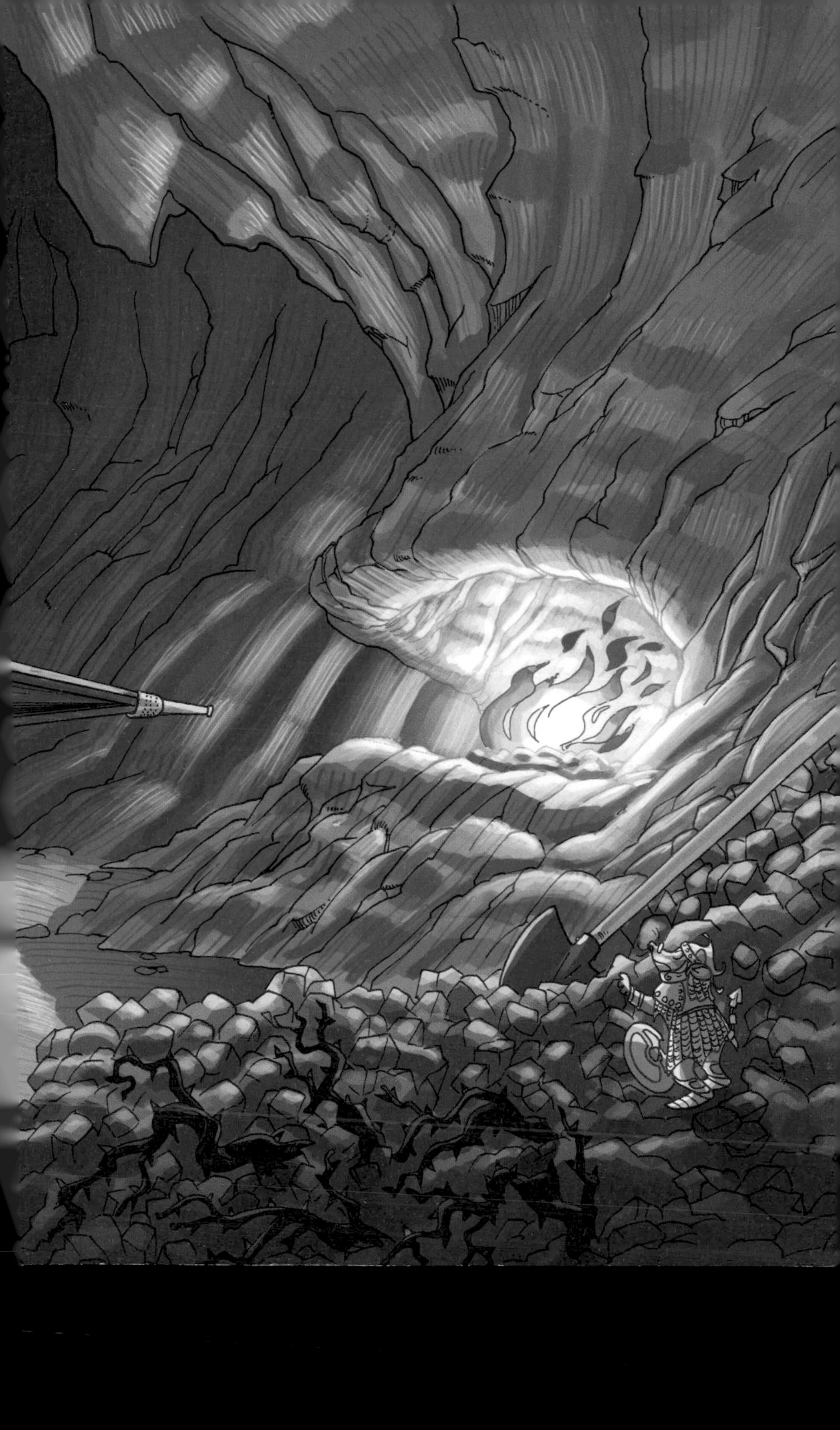

La cara de la giganta estaba sucia de hollín, los cabellos **despeinados**, las uñas rotas.

Llevaba los pies descalzos, los vestidos **RO-TOS**.

¡Y qué **SUCIA** estaba!

¡Incluso tenía pulgas!

¡En el tobillo llevaba atada una cadena con una enorme **bola de hierro**! ¡Alguien la tenía prisionera!

¿Quién? ¿¿Quién?? ¿¿¿Quién???

La giganta se escondió en las **SOMBRAS**.
Me fijé en que temblaba.
¡Tenía **MIEDO**!
—No quiero hacerte daño, sino ayudarte. ¡Dime quién eres! —le dije amablemente.
Ella sollozó:
—¡En una época, yo era... **CLODOVINGIA MEROVEA**, REINA DE LOS GIGANTES DEL SUR! Pero desde que *ellos* me capturaron, ya no soy nadie...
—*Ellos*, ¿quiénes?
—¡*Ellos*... los trolls!

EL PUEBLO DE LOS TROLLS

Viven bajo tierra, en cavernas sucias y malolientes. ¡Son tan apestosos que su peste se huele a kilómetros de distancia! ¡Cuando van hacia la batalla, tocan sus terribles Tttambores Tttamborileantttes!

Geranio Rastrilloso
Jardinero
Remezclosa Chafapapas
Cocinera
Pincelón Rascatelas
Artista
Piojosa Pelagatos
Peluquera
Gritonaza Pellizcosa
Maestra
Bizcucho Legañoso
Portero

Tttambores tttamborileanttes

Entonces oí un ruido inquietante.

¡Turutú–turutú–turutrull! ¡Turutrull-turutú–turutrull! ¡Turutú–turutú–turutrull! ¡Turutú–turutú–turutrull! ¡Turutú–turutú turutú–turutrull!

¡Era el sonido de los tambores de los trolls, los terribles Tttambores Tttamborileanttes!

¡Después olí un terrible tufo a troll!

La giganta temblaba aterrorizada.

—Por orden de Brujaxa, *ellos* me obligan a alimentar el fuego con ramas día y noche para hacer mucho humo. ¡Y para asegurarse de que no huyera, me han **ENCADENADO**!

—¡Gigante, te necesito! ¡Rápido, los **TROLLS** están llegando! —grité.

Él tiró de la cadena con todas las fuerzas, protestando:

—«*Troll*» se dice muy fácil, y si luego...

—¡Calla y TIRA!

El gigante tiró cada vez más fuerte... hasta que la cadena se rompió con un ruido seco: ¡TAC!

—¡Damisela, sois libre!

Valeroso corrió fuera y llenó el sombrero con una enorme cantidad de NIEVE.

¡Volvió dentro y apagó el fuego!

—¡BRAVOOOOOOOOO! —gritamos todos.

Corrimos fuera, mientras el tufo a troll se hacía cada vez más fuerte.

¡Los TROLLS atacaron, pero mi amigo Valeroso les dio su MERECIDO! ¡Los hizo volar como BOLOS y fueron a caer unos sobre otros en un montón enorme!

Mientras tanto, protestaba:

—¡Trollazos apestosos, yo os enseñaré cómo se trata a las damas!

El secreto de la Belleza

Cuando los trolls fueron derrotados, yo presenté oficialmente a la giganta:

—Ella es Clodovingia Merovea, Reina de los Gigantes del Sur. ¡Pide entrar en la Compañía! Viajará con nosotros hasta el Reino de las Hadas.

—¡Bienvenida, **Clodovingia Merovea**!

Ella se **ruborizó**, bajo toda aquella suciedad. También el gigante se había **sonrojado**. Besó la mano de la giganta.

—Creía que yo era el último de los gigantes que quedaban en el mundo...

Clodovingia se inclinó.

—Es un honor conoceros...

CLODOVINGIA MEROVEA

Partimos en seguida hacia la Playa del Escalofrío,* donde estaba anclada ALGUIERA, y nos esperaban también Floridiana y Amargus. Durante el camino, ¡me di cuenta de que entre los dos Gigantes estaba naciendo algo!

Se ruborizaban cuando sus manos se rozaban. ¡El gigante le ofreció un ramo de FLORES, es decir, un ramo de árboles en flor!

El ciervo le gritó:

—¿Qué haces, amigo? ¡Devuélvelos donde estaban, los árboles no se arrancan!

* *Sigue el viaje en el mapa de las págs. 132-133*

Finalmente, llegamos a la PLAYA DEL ESCALOFRÍO, donde nos esperaban Floridiana y Amargus, que parecía haberse recuperado de su fea herida. Ahora despedía, como la Reina de las Hadas, una delicada luz azul.

Justo antes de subir a bordo, el gigante hurgó en su alforja y se aclaró la voz:

—Ejem... ¡Ésta es la corona del Rey de los Gigantes!... Pero hace tiempo que llevo otra conmigo, con la esperanza de encontrar a la chica digna de llevarla: ¡la corona de la Reina de los Gigantes!

LA CORONA DEL REY DE LOS GIGANTES

LA CORONA DE LA REINA DE LOS GIGANTES

Entonces se arrodilló:

—¡Damisela, os la ofrezco a vos! ¿Puedo pedir vuestra mano?

Ella se ruborizó bajo la espesa capa de suciedad que le recubría el rostro. Intentó recomponerse los cabellos despeinados y se alisó el vestido rasgado.

—¡Yo no soy digna de vos! ¡Soy FEA!

—¡Mi bienamada, no digáis eso! ¡Yo os amo, porque en seguida he visto la belleza dentro de vos! Entonces, puedo esperar.... ¿Me concedéis vuestra mano?

Ella suspiró:

—¡Sí!

Todos gritaron:

—¡Hurra por los gigantes!

EL SECRETO DE LA BELLEZA

¡La verdadera belleza es la del corazón! Una bella sonrisa, una mirada sincera, son más importantes que los vestidos de marca y la ropa de moda. Quien sabe amar verdaderamente no se detiene en las apariencias, sino que sabe leer en el corazón...

Hacia el Reino de las Hadas

EL PRIMER RAYO DE SOL...

Inmediatamente después, todos subimos a la Nave Parlante, que me dio la bienvenida.

—Caballero, ¿os ha sido útil el ANILLO DE LUZ?

—¡Querida amiga, gracias a tu valioso regalo he derrotado a Brujaxa! ¿Cómo puedo agradecértelo?

La nave se rió.

—Me han dicho que eres escritor. ¡Cuando vuelvas a casa, cuenta todo lo que ha sucedido y habla también de mí!

—¡Narraré esta MARAVILLOSA AVENTURA y muchos conocerán tu nombre y el de los demás amigos de la Compañía de la Fantasía! —Sonreí—: ¡Gracias a mi libro, muchos descubrirán la fuerza del amor y la importancia de la amistad!

El viaje de regreso fue **larguísimo** y estuvo lleno de AVENTURAS.

Cada mañana, escrutaba ansioso el horizonte. ¡Finalmente, un día vi el perfil de la tierra de los Gnomos!

Justo entonces, el **PRIMER RAYO DE SOL** se asomó, como una dulce promesa de esperanza.

Todos alzaron la nariz al cielo.

—La Primavera... —murmuró Alys en voz baja como si tuviera miedo de creeerlo.

El Gato exclamó:

—¡Sí, ha vuelto la Primavera!

Todos gritaron:

Así, nuestro viaje prosiguió alegre: Brujaxa había sido derrotada, Floridiana estaba a salvo y ahora... ¡por fin había vuelto la Primavera!

Yo me fijé en que durante la travesía Floridiana y **Amargus** hablaban detenidamente, asomados a la borda de la nave...

Quizá discutían el futuro de sus reinos...

La claridad que emanaba de ellos iluminaba la oscuridad de la noche.

¿QUIÉN SABE? ¿QUIÉN SABE? ¿QUIÉN SABE?

A la mañana siguiente, alcanzamos las costas del Reino de los Gnomos, y después remontamos el río hasta el prado de la Gran Asamblea. Cuando desembarcamos, nos recibió una multitud feliz. El primero en venir corriendo hacia mí fue **Pustulino**:

—*¡Caballero, debo deciros una cosa!*

Yo estaba a punto de responderle, pero muchos brazos me levantaron para llevarme a hombros. Un instante después, me tiraron de la cola.

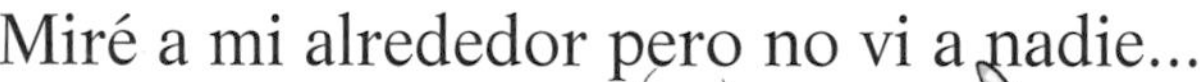

Miré a mi alrededor pero no vi a nadie...

Entonces oí la voz de **Pustulino** por segunda vez:

—*¡Caballero, debo deciros una cosa!*

Estaba a punto de responderle, pero la REINA DE LAS HADAS nos convocó al lugar de la Asamblea.

Entonces dije:

—¡Perdona, amigo, dímelo todo después!

Mientras nos dirigíamos hacia el prado, oí cómo murmuraban mil voces:

—¿Qué nos querrá decir nuestra Reina?

¿QUIÉN SABE?, ¿QUIÉN SABE?, ¿QUIÉN SABE?

Entre todas aquellas voces oí por tercera vez una vocecita que conocía bien. Era la voz de **Pustulino**:

—*¡Caballero, debo deciros una cosa!*

A nuestro alrededor todos aclamaban:

—¡Viva la Compañía de la Fantasía!
¡Vivan nuestros héroes!

¡UNA NOTICIA TRES VECES FELIZ!

Cuando estuvimos todos reunidos en el prado de la Gran Asamblea, Floridiana y Amargus, cogidos de la mano, tomaron la palabra. Él anunció:

—Quiero cambiar mi nombre. ¡Ya no me llamaré **AMARGUS**, sino Fraterno, porque en mi corazón ya no hay *amargura*, sino un *dulcísimo* sentimiento de paz! Además, ¡uniré mi reino al

de Floridiana! El REINO DE LAS PESADILLAS se llamará de nuevo REINO DE LOS SUEÑOS, porque... ¡vamos a casarnos!

—¡Oooh! —dijo el público.

El gigante y la giganta anunciaron:

—¡También nosotros vamos a casarnos!

—¡Oooooooh! —dijo el público.

—¡Pues yo no me caso ni en sueños! —gritó el Gato.

JA JA JA JA JA JA

Todo el público rió.

JA JA JA JA JA JA

En aquel momento, Pustulino saltó sobre un peñasco y exclamó:

—¡También yo me caso y tendré camaleoncitos...!

—¿Dónde está tu dama? —preguntamos todos.

—¡Está aquí, justo aquí, a mi lado! ¿No la véis?

Pero ella se había mimetizado...

—Entonces ¡era eso lo que querías decirme antes! ¡Cuéntanos la historia de vuestro amor! —exclamé.

No fue una buena idea...

¡¡¡Pustulino parloteó durante horas y horas!!! ¡Describió la casa, el COLOR de las alfombras y su saloncito de color fresa!

—Celebremos el triunfo del amor y de la paz: dentro de siete días se dará una fiesta en el Castillo de Cristal.

¡He invitado a todos los pueblos del Reino de la Fantasía! —dijo Floridiana.

Me di cuenta de que Clodovingia estaba PREOCUPADA.

Se mordió una uña, se puso a jugar con un mechón de su cabello, se ruborizó...

—Caballero ¿puedo hablaros? Necesito vuestra ayuda —dijo tímidamente.

—Pues, claro. ¿Qué puedo hacer por vos?

—Ejem... yo, estooo, quería decir, en cierto modo, querría estar fascinante. ¿Podría hacer *algo*?

Yo reflexioné un instante, y después murmuré:

—¡Seguidme, hay alguien que puede ayudaros!

La giganta me siguió esperanzada.

Sabía a quién pedir ayuda:

¡a la

Reina

de los

Gnomos!

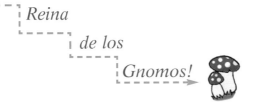

¡TODO MAL... HAY QUE HACERLO DE NUEVO!

Setina observó a Clodovingia con ojo crítico.

—Querida hijita, habrá que trabajar de lo lindo...

—¡Oh, ya sé que soy muy fea! —corroboró ella con timidez.

La Reina de los Gnomos sonrió.

—¿FEA? Qué va, ¡sólo necesitas AGUA y jabón!

Se subió a una escalera y le examinó la piel y el cabello con una lente de aumento y miró el vestido.

—¡Todo mal... hay que volver a empezar! ¿Cuándo te hiciste la MANICURA?

—¿Ma... manicura? ¿Qué es una manicura?

La Reina de los Gnomos, se acarició un rizo del cabello.

—Ejem, éste es un caso difícil. Pero ¡no te preocupes, después de mi Tratamiento Especial para Novias estarás bellísima!

Entró una escuadra de gnomas que se subieron las mangas y gritaron a coro:

—¡Tres, dos, uno...

vamooooooooooooooos!

La LAVARON, la maquillaron y le cosieron un vestido de novia. Prepararon un ramo de rosas de tela: ¡no existen flores lo bastante grandes para una giganta! Después la perfumaron con esencia de FLORES DE AZAHAR y le pusieron un velo, delicado como un

¡¡LECCIONES DE FASCINACIÓN!!

Ser ordenados, limpios y educados nos ayuda a estar mejor con los demás y a sentirnos siempre cómodos en cualquier situación. No son aburridas reglas pasadas de moda, sino un modo importante de mostrar respeto por quien tenemos al lado y... ¡por nosotros mismos!

pensamiento de amor.

¡FANTIPERFUME de Amor Feliz!

¡He aquí el ramo de Clodovingia!

RASCA Y HUELE

TRATAMIENTO ESPECIAL PARA NOVIAS

1 Ante todo, un buen baño perfumado y con mucha espuma...

2 Un champú especial de hierbas...

3 Una mascarilla de belleza al pepino...

4 ¡Manicura especial para la novia con esmalte rosa pálido!

Cortar las puntas de los cabellos...

... marcar.
¡Para un peinado perfecto!

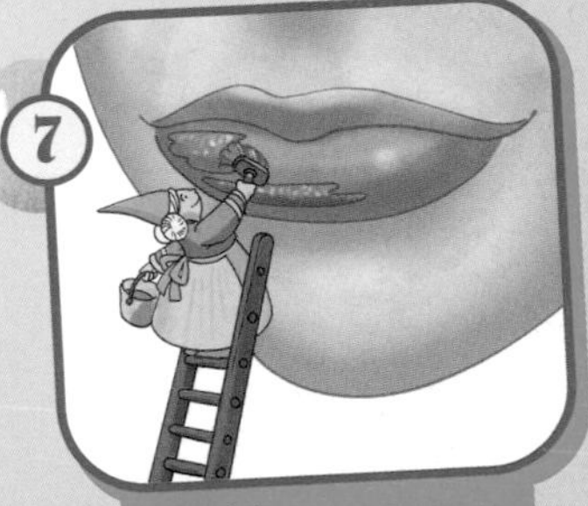

Un toque
de carmín...

Un vestido de ensueño...

Un velo con diadema...

...Y para acabar,
¡un poco de perfume!

ANTES

DESPUÉS

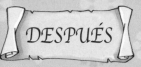

LA FUERZA DEL AMOR

A la semana siguiente, por el sendero de cristal del Reino de las Hadas avanzaban las tres parejas de novios. El hada Martina cantaba una dulce canción, el hada Rosella lanzaba PÉTALOS de rosa, el hada Felicia gritaba:

—*¡Vivan los novios!*

¡Alrededor de los novios, todos los amigos éramos felices! La fuerza del amor es más poderosa que todo el MAL del mundo.

Los novios intercambiaron los anillos nupciales, después bebieron juntos de una copa de oro.

—¡Miau, me gustan las fiestas! —maulló el Gato.

El gigante protestó:

—¡Uff, «celebrar» es fácil! Y si después...

La giganta le tiró de una oreja:

—¡Nada de gruñidos! ¡De ahora en adelante, te quiero ver siempre sonriente!

Plumilla se rió:

—Para la ocasión, he compuesto un poema especial que dice...

Todos protestaron:

—¡Bastaaaaaaaa! ¡Un poema, nooooooooo!

Yo cambié el argumento:

—Ejem, ¿un poema? Mejor bailamos. ¿Quién quiere bailar conmigo?

Todos gritaron:

—¡Yo! ¡Yo! ¡Yoooooooooo!

¡El violín azul Stradivarius, hecho con madera del Bosque Parlante, empezó a sonar solo y todos bailamos alegremente!

Stradivarius, el Violín Parlante

La fiesta continuó alegre durante todo el día, hasta que llegó la noche y el sol se escondió bajo el Castillo de Cristal.

Una estrella fugaz cruzó la noche...

Plumilla me sugirió:

—¡Caballero, formulad un deseo!

—Quiero... quiero... quiero... —murmuré.

Muchos deseos me pasaron por la cabeza. Entonces, un pensamiento me iluminó, como la estrella fugaz había iluminado el cielo.

—¡Quiero que sea Primavera todo el año... y que la paz florezca en el corazón de los pueblos de todo el mundo!

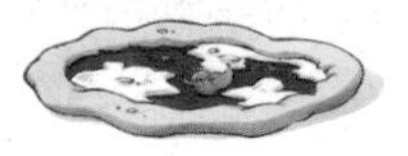

PERFUME... ¡DE PIZZA!

A medianoche, de la cocina de las hadas llegó un perfume delicioso, y la giganta dijo:

—¡Para celebrarlo os he preparado una sorpresa, una comida característica del PAÍS DE LOS GIGANTES DEL SUR!

A mí me parecía reconocer aquel perfume.

—Pero... ¡eso es perfume de **pizza**!

La giganta trajo una pizza gigante que olía a **tomate**, queso, orégano y muchas cosas deliciosas.

—Cuando llegué al REINO DE LA FANTASÍA me encontré con un tremendo tufo a humo. Al irme me llevaré como recuerdo... ¡un delicioso perfume de pizza! —Sonreí.

¡FANTIPERFUME DE
FIESTA GOLOSA!
RASCA
Y HUELE
¡He aquí la Pizza
de la giganta!

TODOS LOS COLORES DEL ARCO IRIS

Justo cuando pronuncié las palabras «irme» y «recuerdo», todos a mi alrededor enmudecieron. En seguida, mil voces susurraron:

—OH, EL CABALLERO PARTE...

—OH, EL CABALLERO ESTÁ A PUNTO DE MARCHARSE...

—OH, EL CABALLERO SE VA...

Entonces yo tomé la palabra y dije:

—¡Amigos, también yo estoy TRISTE, y querría quedarme para siempre con vosotros! Pero debo irme: mi mundo me necesita...

EXPRESAR LOS SENTIMIENTOS

¡No temas demostrar tus sentimientos! Si algo no funciona, intenta decirle lo que te pasa a quien te quiere: estoy triste, me siento abatido, tengo nostalgia... Te sentirás mejor, y a tus seres queridos les será más fácil ayudarte.

¡Hay tanta necesidad de paz y armonía!

Fui a quitarme la armadura y me puse de nuevo mis viejas ropas: para mí había llegado el momento de partir.

Entonces me presenté ante Floridiana y Amargus, es decir... quiero decir... Fraterno, que ahora reinaban juntos en el Reino de las Hadas y en el *Reino de los Sueños*.

Caligrama: palabras dispuestas de manera que forman un dibujo

Floridiana dijo:

—¿Qué pedís como premio por vuestro valor?

—¡Pido... sólo una sonrisa... majestad!

¡Ella sonrió... y fue como si mi corazón se llenara de dulzura! La Reina me puso una rosa resplandeciente en el pecho:

—¡Os nombro CABALLERO DE LA ROSA DE PLATA!

Como recompensa por vuestros servicios, os concederé cabalgar el Unicornio de los Sueños, que se alimenta del rocío de la mañana y cabalga sobre las nubes. ¡Nadie antes que vos ha sido digno de ello!

Yo me arrodillé y repetí emocionado el saludo de la Compañía:

«¡MI CORAZÓN ES PURO,
MIS LABIOS DICEN LA VERDAD,
MI ESPÍRITU TE RESPETA!»

Me despedí de todos los amigos del *Reino de la Fantasía*:

—¡Os quiero! ¡Hasta la próxima AVENTURA!

El unicornio me invitó a subir a su grupa y desplegó sus alas poderosas. Vi el dulce Reino de las Hadas alejarse y hacerse cada vez más pequeño...

Orden de la Rosa de Plata

¡Los Caballeros de la Rosa de Plata son los defensores de la REINA DE LAS HADAS! Se dedican a defender el Bien siempre. Estén donde estén.

Es bello viajar...

pero aún es más bello...
y... ¡volver a casa!

Me zumbaban los bigotes de miedo y se me subió el corazón a la garganta.

¡Me daba la impresión de estar en una centrifugadora!

¡¡¡Oooooooooooooooooooh cómo me daba vueltas la cabezaaaaaaaaaaaaaaaaaaaaaaaaaaaaaaaaaaaaaaaaaaaaaaaaaaaaaaaaaaaaa!!!

Miré hacia abajo.

Estábamos entrando en el centro del vórtice. Intenté agarrarme al cuello del unicornio para no caerme, pero resbalé y me precipité al vacío gritando:

—

Regreso a la Isla de los Ratones

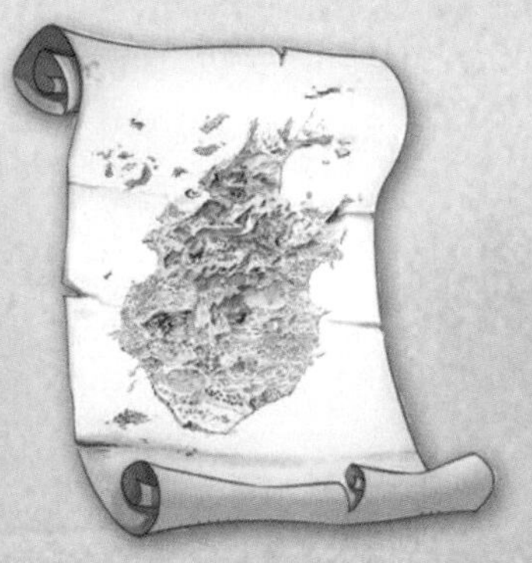

¡Regreso a la Isla de los Ratones!

Me desperté sobresaltado: pero ¿qué me había pasado?

Me encontraba en el baño de mi casa.

¡Ay ay ay, qué dolor de cabeza!

De golpe, recordé: había ido al baño para buscar una TIRITA, había resbalado sobre un charco de agua porque el retrete perdía y no había llamado al FONTANERO. Después... me había caído dándome con la cabeza en el lavabo.

¡Ay!

Me masajeé el chichón del cráneo.

Miré fuera de la ventana: ya amanecía...

Qué extraño sueño había tenido aquella noche.

Había soñado que viajaba al *Reino de la Fantasía.*

¡Ah, qué sueño más bonito!

Me levanté, y lo primero que hice fue llamar al fontanero, después fui a la cocina a desayunar y luego me vestí.

Más tarde, salí silbando a dar un paseo. ¡Qué feliz era de estar en casa, en Ratonia! Respiré hondo el aire fresco y perfumado de flores. Qué bonito, era Primavera...

Igual que en el REINO DE LA FANTASÍA, donde la **PRIMAVERA** había vencido al **INVIERNO**.

Grité en voz alta:

¡La vida es bella, el mundo es maravilloso

y yo quiero a todo el mundo!

LA NARIZ AL VIENTO Y LOS OJOS AL CIELO

Paseé con la nariz al viento y los ojos al cielo; los melocotoneros estaban en flor, y en los nidos gorjeaban los pajarillos. Aunque no había encontrado al fontanero, le había dejado el mensaje de que pasara por mi casa.

Paseando, me encontré con alguien especial: ¡Patty Spring!

Ejem, es una roedora muy guapa y simpática, y yo... vaya, en realidad, casi casi, ejem, ¡me gustaría que fuera mi novia!

Pero aún no he tenido el coraje de decírselo. Soy un roedor muy muy muuuyy tímido... Pero un día, ¿quién sabe?

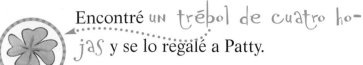

Encontré un trébol de cuatro hojas y se lo regalé a Patty.

—Este trébol de cuatro hojas es para ti. ¡Espero que te dé suerte!

—¡Mi suerte es tener un amigo como tú, G!

Entonces me dio un besito...

Yo me ruboricé y respondí como un tonto:

—¡Gracias, es decir, de nada, es decir, no hay de qué, es decir, felicidades, es decir, mi más sincero pésame, es decir, hasta luego, es decir, adiós!

Entonces, **rojo como un tomate**, me fui corriendo con el corazón latiéndome en el pecho a dos mil por hora. ¡¡¡Ah, qué emoción!!!

¡HOLA, SOY EL FONTANERO!

Entonces sonó mi teléfono: era el FONTA-NERO, el señor L. Avabo, que estaba llegando a mi casa. Yo corrí allí.

—¡Gracias por haber venido tan rápido a reparar el váter!

Le ofrecí un batido de gorgonzola.

Él, mientras tanto, preguntó:

—Pero ¿cómo se ha hecho ese CHI-CHÓN?

—Ah, es una larga historia... —suspiré.

Le conté que había resbalado en el charco de agua y que así me había hecho el chichón. Después le conté también mi sueño, el *Viaje al Reino de la Fantasía.*

¡Estoy
mocionado!
Tenía una armadura
y un Anillo
de Luz...

Él continuó preguntando:

—¿Y después? ¿Y entonces? ¿Qué pasó?

¡El fontanero estaba **EMOCIONADO** por todas las excitantes aventuras que había soñado!

¡Vaya, me había inundado todo el baño!

En un momento dado, se sonó la nariz con **PAPEL HIGIÉNICO**:

—¡Aaaaaah, qué romántica es esa historia! ¡Ha habido hasta tres bodas! ¡Y el gigante encuentra a su alma gemela! Nunca había llorado tanto... ¡Qué bonito! ¡Qué feliz estoy de llorar! ¡Mire, para agradecerle haberme contando una historia tan conmovedora, le reparo el váter **GRATIS**!

No pensaba que mi historia
fuera tan conmovedora...

Además de **LLORAR**, sin embargo, reía a más no poder, agarrándose la panza:

—Ja ja ja, pero qué historia más divertida, ¿de verdad que la mofeta olía tan mal? ¿Y el Gato se había hecho pipí en el sombrero del gigante?

Cuando acabé mi narración, el fontanero se secó las LÁGRIMAS y se sonó la nariz con el último trozo de papel higiénico que quedaba.

Después me aconsejó:

—Le recomiendo que escriba esta historia, que la escriba, ¿entendido, señor Stilton? Así podré leerla y leerla y leerla y releerla y releerla y releerla y llorar y llorar y llorar y reír y reír y reír y llorar de risa y reír de llorar y llorar de risa y reír de llorar y llorar de risa y reír de llorar... ¡Ooooooooooooooh cómo me he emocionado al escucharla!

¡Qué buena idea!

Cuando por fin se fue, yo llené la bañera y me di un buen baño caliente con muchas BURBUJAS. Mientras estaba en la bañera, reflexioné: ¡el señor L. Avabo tenía razón, podría escribir un libro bonito sobre aquella AVENTURA! Podría contar la Gran Asamblea, la gesta de la COMPAÑÍA DE LA FANTASÍA, la victoria del *Bien* sobre el MAL. ¡Explicaría a los lectores que cada uno puede convertirse a diario en defensor del Bien y de la Felicidad! *¿Sabéis cómo acabó aquello?*

He escrito el libro...

¡y es el libro que estáis leyendo vosotros,

ahora, en este momento!

¿Os ha gustado?

¡Espero que sí!

¡He aquí la colección de los mapas del Reino de la Fantasía!

Atlas del Reino de la Fantasía

¡Todos los mapas y secretos de los Reinos para viajar juntos por un universo fantástico!

Reino de la Fantasía

EL REINO DE LA FANTASÍA es maravilloso,
y para llegar a él basta con... ¡soñar!
Lo forman infinitos reinos: ¡algunos son
oscuros y aterradores, otros están llenos de luz y alegría!

¡Está el terrorífico Reino de las Brujas, donde gobierna la pérfida Brujaxa... pero también el melodioso REINO DE LAS SIRENAS!

¡Está el peligroso REINO DE LOS DRAGONES DE FUEGO, pero también el dulce REINO DE LOS DRAGONES DE PLATA, donde vive Alys, la valiente domadora de dragones!

¡Están el divertido REINO DE LOS DUENDECILLOS, donde puedes divertirte con mil chistes, y el fértil REINO DE LOS GNOMOS, custodio de los bosques y de la naturaleza!

¡Están el gélido REINO DE LOS GIGANTES DEL NORTE, donde vive el último de los gigantes, y el templado REINO DE LOS GIGANTES DEL SUR, donde vive Clodovingia Merovea, la última giganta!

¡Están el REINO DE LOS ELFOS, donde se encuentra el castillo del ciervo Robur, el País de los Cuentos y el fantástico Bosque Parlante! ¡Y, por fin, el luminoso REINO DE LAS HADAS, con Floridiana, reina del REINO DE LA FANTASÍA!

Alfabeto Fantástico

A B C D E

F G H I J

K L M N O

P Q R S T

U V W X Y Z

0 1 2 3 4 5 6 7 8 9

Mapa del
Reino de la Fantasía
Reino de las Pesadillas
Reino de las Sirenas
Reino de las Brujas
País del Oro
País del Miedo
Valle de las Almohadas
País de los Juegos
País del Dulce
País de los Cuentos
País de las Leyendas
País de las Ilusiones

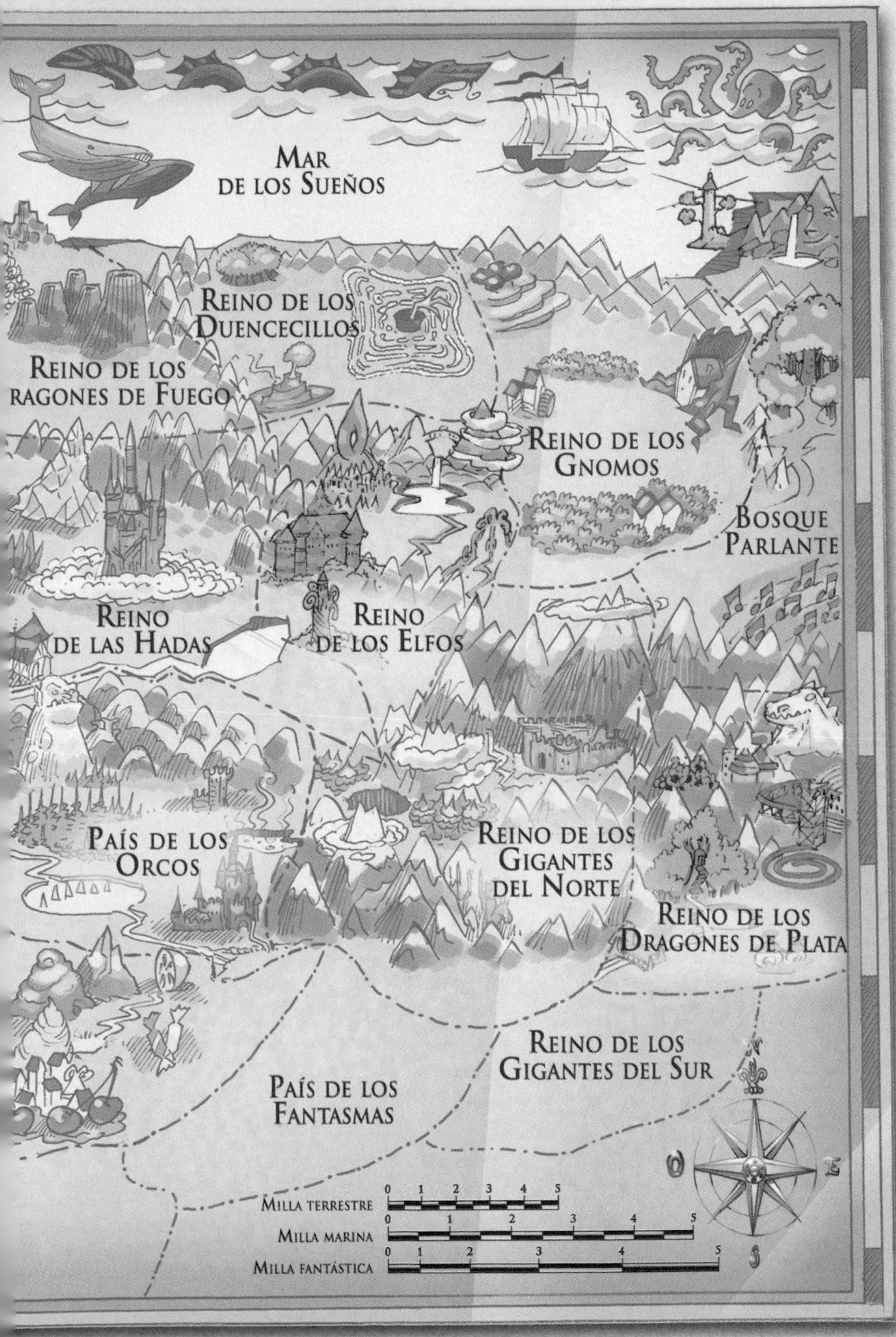

Mar
de los Sueños
Reino de los
Duencecillos
Reino de los
ragones de Fuego
Reino de los
Gnomos
Bosque
Parlante
Reino
de las Hadas
Reino
de los Elfos
País de los
Orcos
Reino de los
Gigantes
del Norte
Reino de los
Dragones de Plata
Reino de los
Gigantes del Sur
País de los
Fantasmas
N
O
E
S
0 1 2 3 4 5
Milla terrestre
0 1 2 3 4 5
Milla marina
0 1 2 3 4 5
Milla fantástica

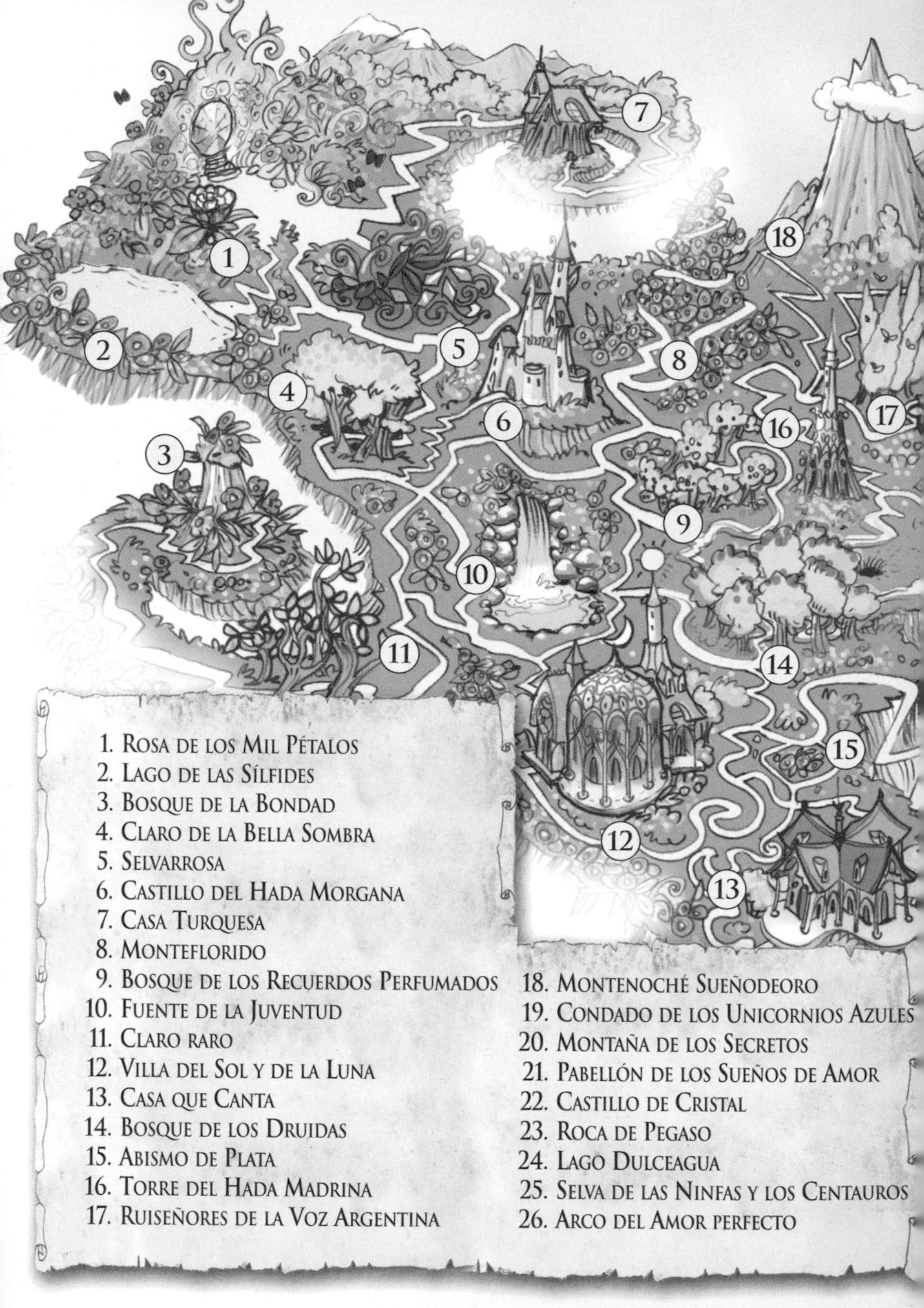
7
1
18
2
5
8
4
6
16
17
3
9
10
11
14
15
12
13
1. Rosa de los Mil Pétalos
2. Lago de las Sílfides
3. Bosque de la Bondad
4. Claro de la Bella Sombra
5. Selvarrosa
6. Castillo del Hada Morgana
7. Casa Turquesa
8. Monteflorido
9. Bosque de los Recuerdos Perfumados
10. Fuente de la Juventud
11. Claro raro
12. Villa del Sol y de la Luna
13. Casa que Canta
14. Bosque de los Druidas
15. Abismo de Plata
16. Torre del Hada Madrina
17. Ruiseñores de la Voz Argentina
18. Montenoche Sueñodeoro
19. Condado de los Unicornios Azules
20. Montaña de los Secretos
21. Pabellón de los Sueños de Amor
22. Castillo de Cristal
23. Roca de Pegaso
24. Lago Dulceagua
25. Selva de las Ninfas y los Centauros
26. Arco del Amor perfecto

Reino de las Hadas
20
24
23
19
22
21
26
25
N
O
E
S

1
2
3
4
5
6
7
N
O
E
S

Reino de los Gnomos
17
18
14
16
15
13
10
11
12
9
8
1. Campos Arados
2. Molino del Molinero
3. Fantástica Floresta Feliz
4. Máquina Atrapa-Curiosos
5. Fresa Gigante
6. Fábrica de Juguetes
7. Teatro al Aire Libre
8. Biblioteca de los Gnomos
9. Puente sobre el Torrente Cristalino
10. Hospital para Animales Heridos
11. Clínica de las Plantas
12. Piscina Caliente Termal
13. Museo Gnómico
14. Correos
15. Plaza de las Tres Fuentes
16. Tienda del Herrero, del Sastre, del Zapatero, del Herbolario
17. Lago de los Cervatillos
18. Granrefugio, Reino de los Gnomos

Reino de los dragones de plata

1
2
3
4
5
6
7
8

N
O
E
S

9
10
11
12
13
14
15
1. Colina Dragolina
2. Palacio real de Alys
3. Habitación de los Secretos
4. Trampolín
5. Lago Apagadragones
6. Río de Plata
7. Guardería
8. Puente Rocoso
9. Hospital
10. Teatro al Aire Libre
11. Gimnasio Dráguico
12. Torre de Control
13. Estadio
14. Pista de Aterrizaje para Dragones

1. Colina de los Narradores
2. Pico del Libro Parlante
3. Valle de los Cuentos Nunca Contados
4. Molino del Gato con Botas
5. La Familia que Habitaba en un Zapato
6. Bosque de los Animales Parlantes
7. Casita de Blancanieves
8. Habichuela Gigante de Juanito
9. Bosque de la Bella Durmiente
10. Pico de los Recuerdos Olvidados
11. Castillo del Príncipe Azul
12. Bosque de Hansel y Gretel
13. Colina del Flautista de Hamelin
14. Bosque de Caperucita Roja
15. Estanque del Patito Feo
16. Palacio real Encantado
17. Villa de Pinocho
18. Palacio de la Bella y la Bestia
19. Casitas de los Tres Cerditos
20. Mar de la Sirenita

País de los cuentos
10
11
12
13
14
15
16
17
18
19
20

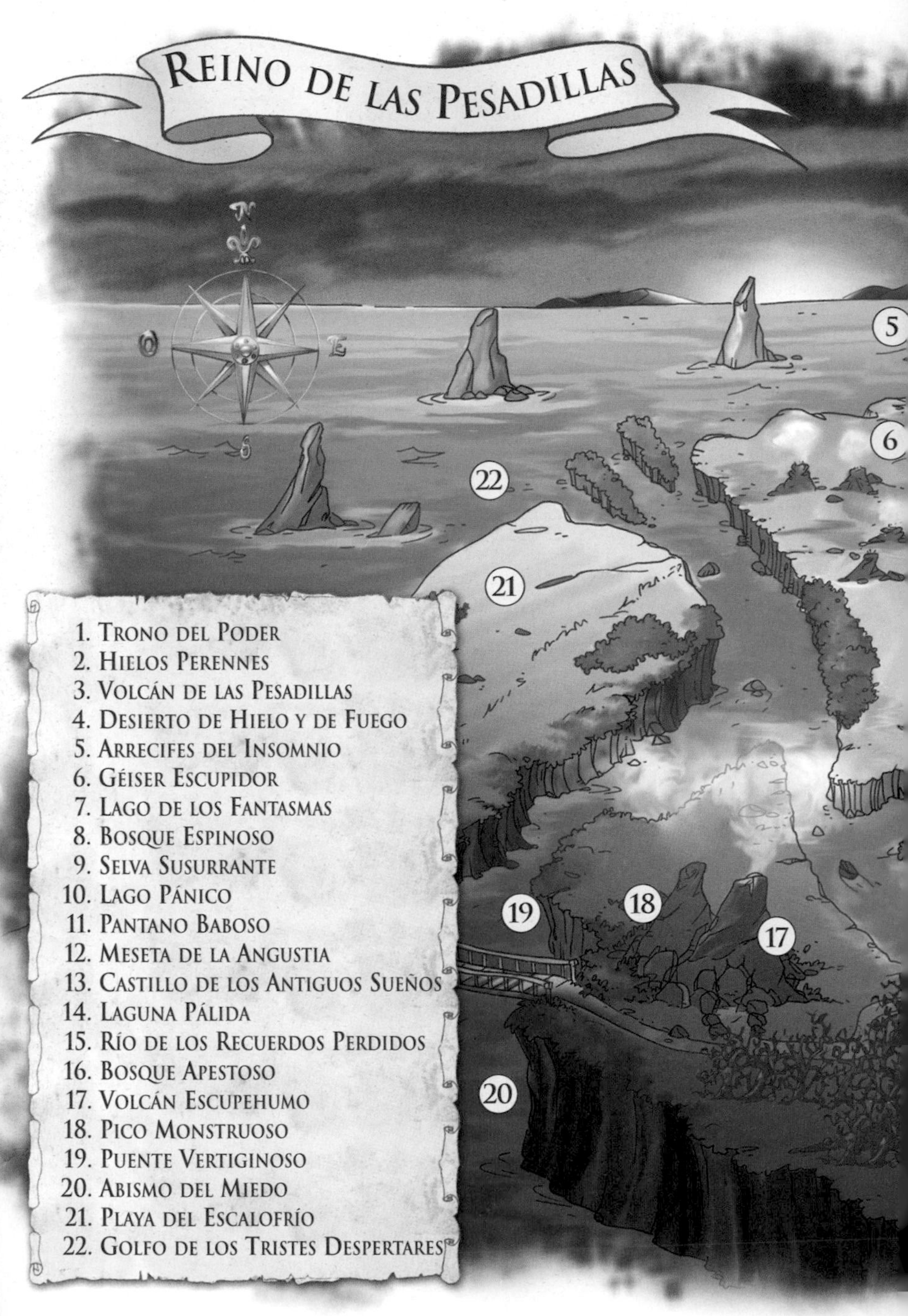
Reino de las Pesadillas
N
O
E
S
5
6
22
21
19
18
17
20
1. Trono del Poder
2. Hielos Perennes
3. Volcán de las Pesadillas
4. Desierto de Hielo y de Fuego
5. Arrecifes del Insomnio
6. Géiser Escupidor
7. Lago de los Fantasmas
8. Bosque Espinoso
9. Selva Susurrante
10. Lago Pánico
11. Pantano Baboso
12. Meseta de la Angustia
13. Castillo de los Antiguos Sueños
14. Laguna Pálida
15. Río de los Recuerdos Perdidos
16. Bosque Apestoso
17. Volcán Escupehumo
18. Pico Monstruoso
19. Puente Vertiginoso
20. Abismo del Miedo
21. Playa del Escalofrío
22. Golfo de los Tristes Despertares

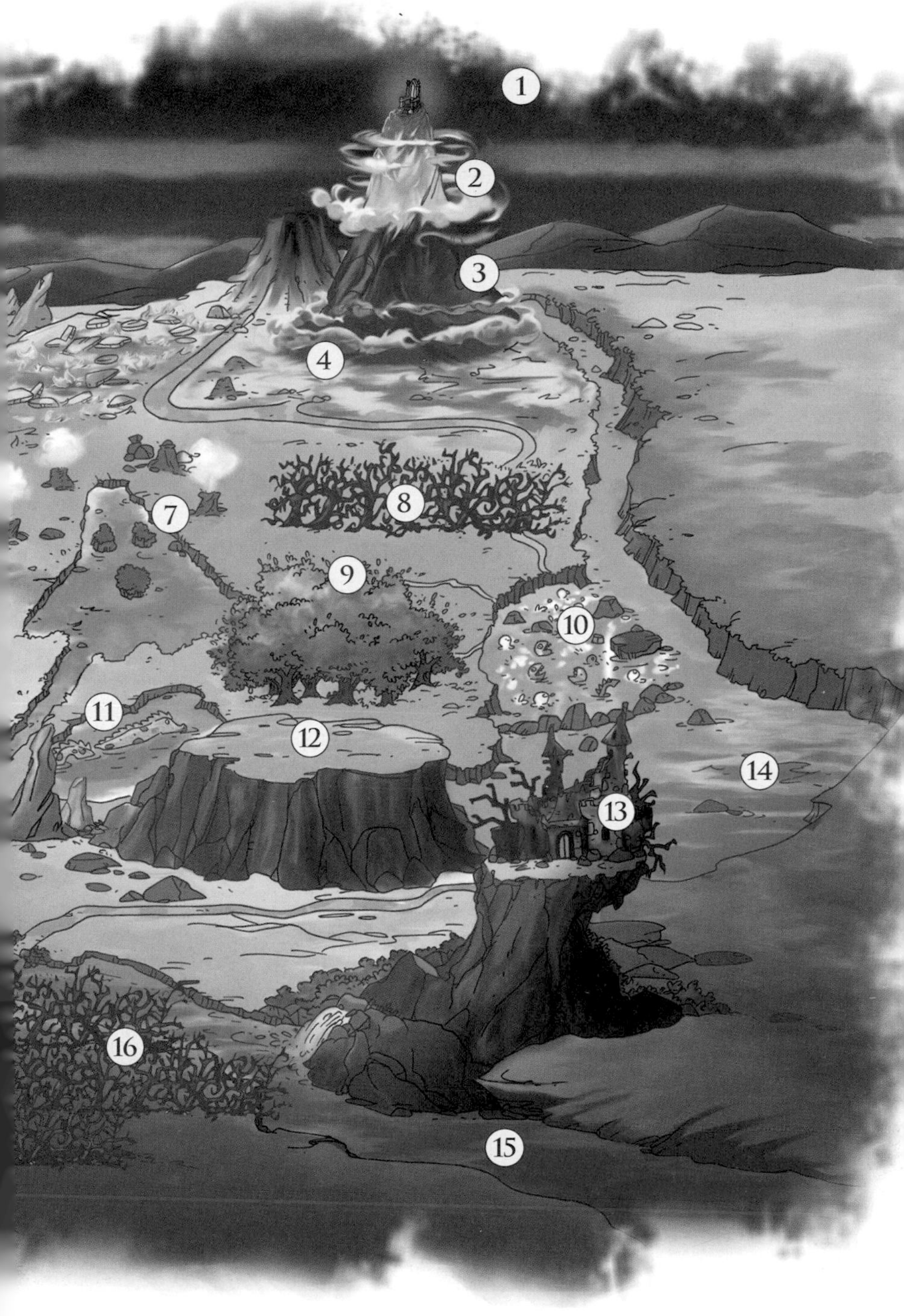
1
2
3
4
7
8
9
10
11
12
13
14
15
16

3
4
2
1
5
6
N
O
E
S

Reino de los Gigantes
15
14
16
13
10
11
12
9
8
7
1. Pico de la Pureza
2. Lago de la Voluntad
3. Monte del Coraje
4. Pico de la Fuerza
5. Valle de los Antiguos Reyes
6. Monte del Orgullo
7. Monte del Honor
8. Espada Excalibur
9. Río de la Generosidad
10. Madriguera de la Osa que Salvó al Gigante
11. Fuente Termal Caliente
12. Roca Halcón, el Palacio Real de los Gigantes
13. Pico de la Esperanza
14. Monte de la Furia Blanca
15. Monte de la Compasión
16. Pico del Perdón

Reino de los Elfos
1
2
3
4
5
6
7
8
N
O
E
S

9
10
11
12
13
14
15
16
17
1. Pico del Elfo Solitario
2. Roca Blanca, Ciudad de los Elfos
3. Río Resplandeciente
4. Fuente Eterna
5. Castillo Ciervo
6. Valle del Viento
7. Pozo de los Pensamientos Felices
8. Torre Florida
9. Monte Sabio
10. Puente de la Confianza
11. Cima de las Nubes Perennes
12. Cascada Dulce Canto
13. Lago de la Serenidad
14. Llanura Siempre Verde
15. Pasadizo Secretísimo de los Elfos
16. Bosque de las Raíces de Plata
17. Sendero de los Mil Años

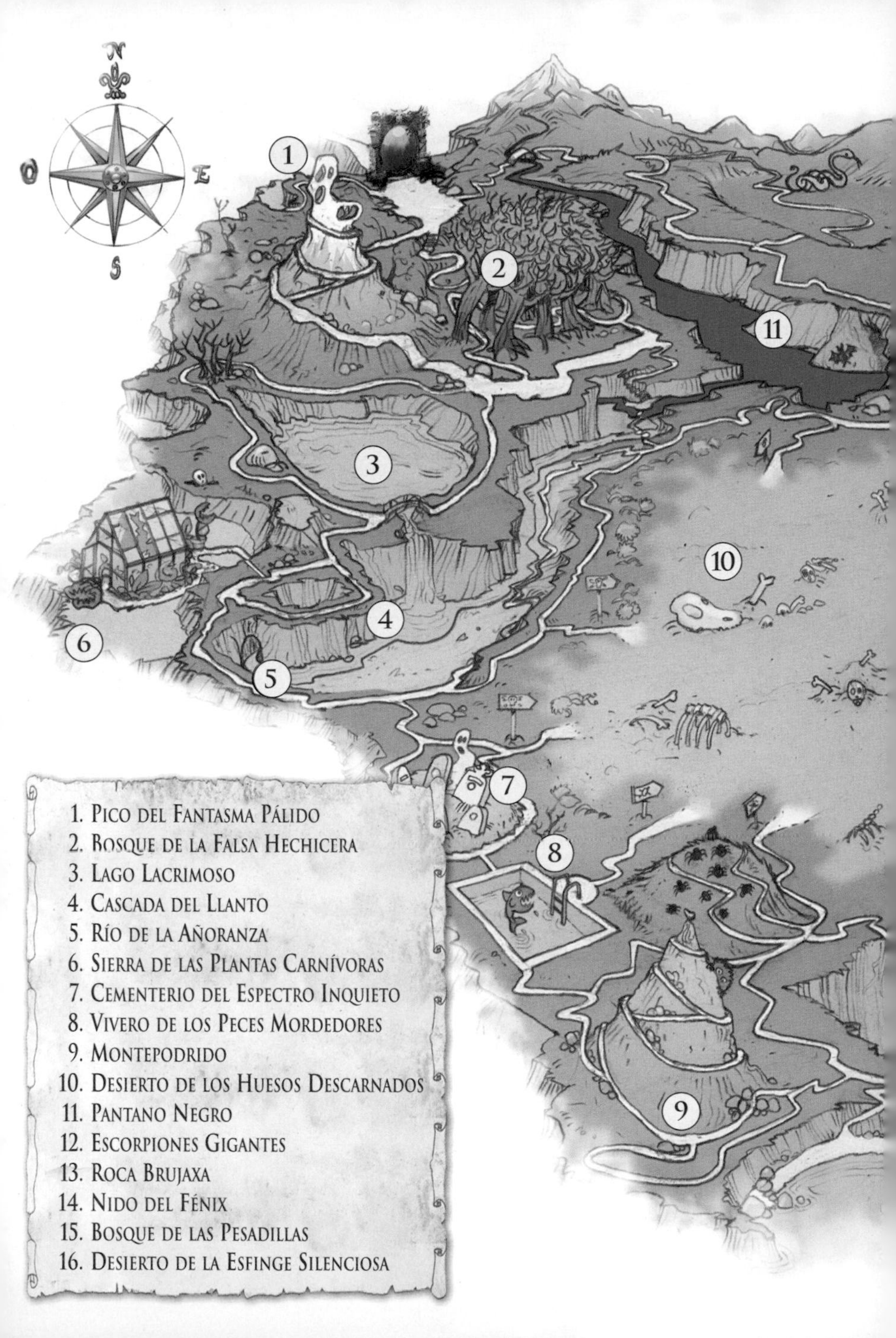

N
O
E
S
1
2
3
4
5
6
7
8
9
10
11
1. Pico del Fantasma Pálido
2. Bosque de la Falsa Hechicera
3. Lago Lacrimoso
4. Cascada del Llanto
5. Río de la Añoranza
6. Sierra de las Plantas Carnívoras
7. Cementerio del Espectro Inquieto
8. Vivero de los Peces Mordedores
9. Montepodrido
10. Desierto de los Huesos Descarnados
11. Pantano Negro
12. Escorpiones Gigantes
13. Roca Brujaxa
14. Nido del Fénix
15. Bosque de las Pesadillas
16. Desierto de la Esfinge Silenciosa

Reino de las Brujas
13
14
12
15
16

Bosque parlante
1
2
3
4
5
6
7
8
9
1. Pico del Eco
2. Cascada de la Charla
3. Puerto Tranquilito
4. Gran Árbol Parlante
5. Bosque Azul
6. Bosque de la Música
7. Prado de los Grillos Parlantes
8. Olivos de la Paz
9. Campo de las Notas

Magia y Fantasía

Magia y fantasía son dos cosas muy distintas...

¡La magia es sólo una ilusión negativa!

No basta una varita mágica para cambiar la realidad o transformar las cosas que no se quieren aceptar. ¡Desde siempre el hombre ha buscado ayuda en la magia para resolver los problemas..., pero la magia no existe! Los amuletos son inútiles, las fórmulas mágicas no funcionan... y brujas, hadas, duendecillos, gnomos y gigantes sólo se hallan en los cuentos.

¡La fantasía, en cambio, es una capacidad positiva!

Quien es fantasioso sabe mirar el mundo con ojos distintos y consigue ver lo que los demás no ven: Armonía donde hay Desarmonía, el Bien donde se encuentra el Mal, la Luz donde parecen triunfar las Tinieblas. Si tienes un problema, intenta resolverlo de un modo fantasioso, es decir, mirándolo también desde otro punto de vista y usando creatividad y optimismo.

¡Ya ha acabado este bellísimo viaje
al Reino de la Fantasía!
Ahora te toca a ti vivir tu vida, día a día,
con empeño, valentía y amor:
¡ésa es la aventura más bella!

¡Bienvenidos a la Fiesta de la Fantasía!

¡Juguemos juntos!

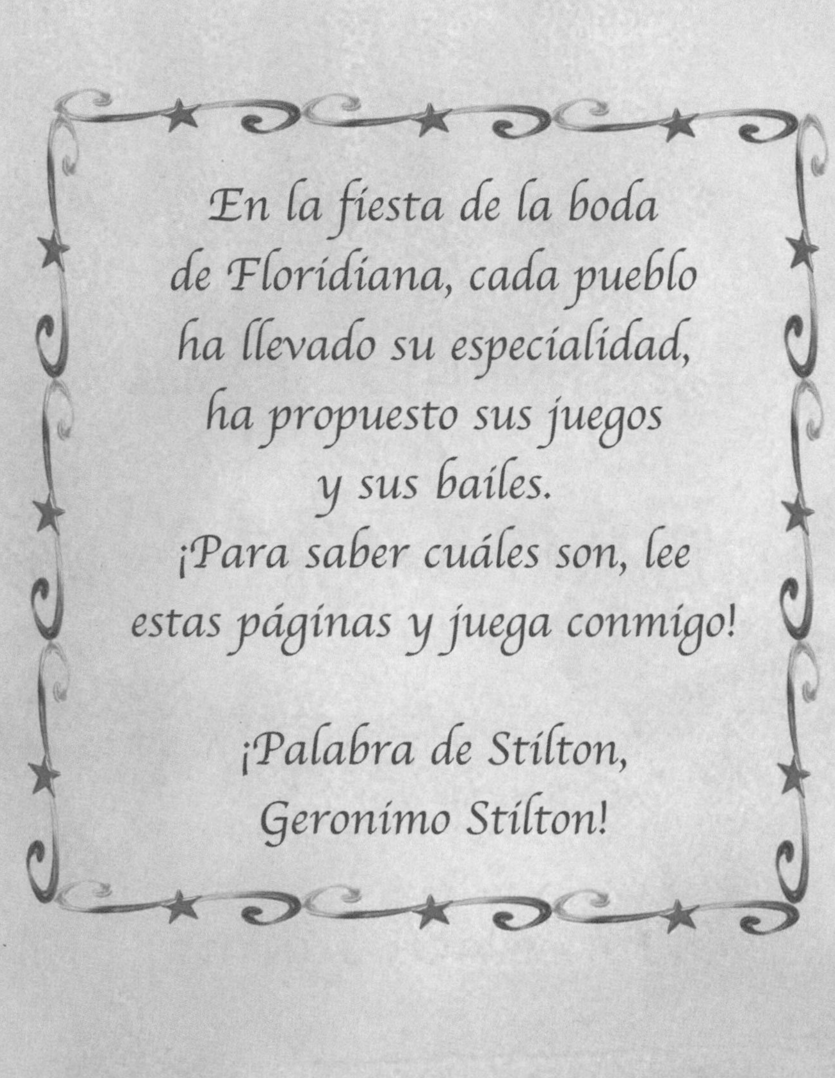

En la fiesta de la boda
de Floridiana, cada pueblo
ha llevado su especialidad,
ha propuesto sus juegos
y sus bailes.
¡Para saber cuáles son, lee
estas páginas y juega conmigo!

¡Palabra de Stilton,
Geronimo Stilton!

Los consejos de los...

Gnomos

Gnomos

Helado a la Crema del Bosque

INGREDIENTES (para 4 personas)
- 500 gramos de helado de nata
- 200 gramos de frambuesas
- 200 gramos de arándanos

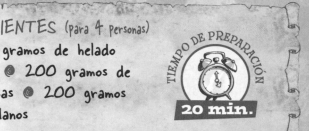

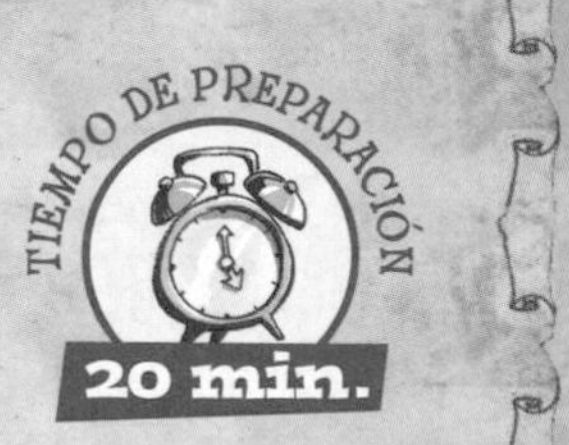

¡ANTES DE EMPEZAR, PIDE AYUDA A UN ADULTO!

1. Lava con cuidado y delicadamente las frambuesas y los arándanos. Extiéndelos sobre un paño, después sécalos con papel de cocina.

2. Guarda aparte algunos arándanos para decorar, después pídele a un adulto que vierta la fruta en la batidora y que la accione durante unos segundos. Obtendrás una mezcla líquida.

3 Pídele a un adulto que caliente a fuego lento el batido de fruta en un cazo durante unos minutos, de modo que se espese un poco. No debe hervir.

4 Dispón el helado en 4 copitas. Después pídele a un adulto que vierta el batido sobre el helado. Decora los helados con los arándanos que has guardado aparte.

¡He aquí una golosina de los gnomos al perfume y al sabor del bosque!

Disfraz de Gnomo

Ponte el sombrero, los calzones, la camisa y el cinturón: ¡eres un gnomo elegantísimo!

QUÉ NECESITAS

- Papel rojo, cartulina marrón
- Una camiseta verde, medias rojas o marrones
- Velcro adhesivo (una cinta de 4 cm)
- Tijeras de punta redonda
- Pegamento en Stick, grapadora

Sombrero de Gnomo

1. Con una cinta métrica de sastre, mide la circunferencia de tu cabeza.

2. Dibuja en el papel rojo la forma de un gran triángulo. La base deberá tener la misma medida que tu cabeza, y los otros dos lados, unos 50 cm.

3. A lo largo de los lados del triángulo, traza con regla y lápiz un borde de 2 cm.

4. Con las tijeras de punta redonda, recorta el triángulo siguiendo bien los contornos. Enrolla la cartulina hacia el interior, encola los bordes y pídele ayuda a un adulto para fijar con la grapadora la base y la punta.

Cinturón de gnomo

1. Toma la medida de tu cintura y añádele 5 cm.

2. Recorta una tira de cartulina marrón de 7 cm de ancho y larga como la medida de tu cintura más 5 cm.*

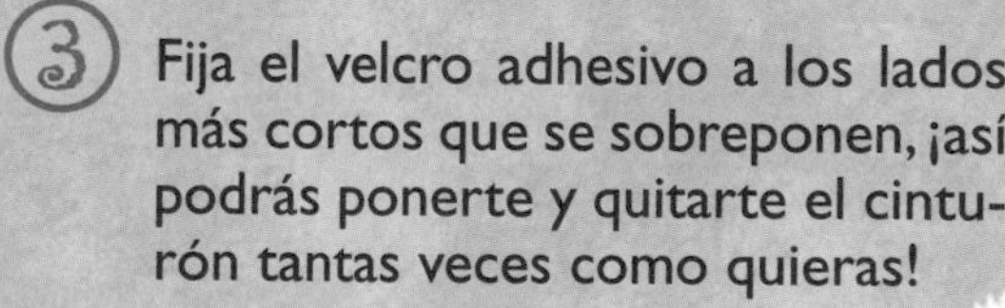

3. Fija el velcro adhesivo a los lados más cortos que se sobreponen, ¡así podrás ponerte y quitarte el cinturón tantas veces como quieras!

* *¡Si no tienes un cartulina tan larga, recorta dos tiras y únelas con la grapadora!*

Baile de los Gnomos

A los gnomos les gusta estar en compañía y bailar todos juntos al calor familiar de la propia casa, recitando alguna cantinela.

¡Gnomo del Bosque siempre contento
Baila alegre si fuera hace viento
Dentro de la casa hace calorcito
Y el Gnomo está alegre como un pajarito!

¡Invita tú también a algún amigo a bailar contigo!

1

Poneos en círculo y cogeos de las manos.

2

Ahora, cantando la cantinela, moveos hacia la izquierda a pasos lentos, cruzando la pierna derecha sobre la izquierda.

3

Después, hacia la derecha, cruzando la pierna izquierda sobre la derecha y repitiendo otra vez la canción.

4

Repetid de nuevo el baile de un lado a otro cantando y moviéndoos cada vez más rápido...

La habilidad está en ser ágil y espabilado... ¡igual que los gnomos!

La tarjeta Margarita para la mesa

QUÉ NECESITAS

- Cartulina blanca
- Lápices de colores o rotuladores
- Tijeras de punta redonda

1. Fotocopia el dibujo y auméntalo hasta el doble. Haz tantas copias como invitados haya...

2. Colorea el dibujo como quieras, después recorta la tarjeta siguiendo los contornos y a lo largo de la línea del centro de la flor. En el espacio bajo la flor escribe el nombre de cada invitado.

3. Pliega la cartulina siguiendo las líneas trazadas y mete la lengüeta en el corte del centro de la flor.

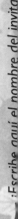

¡Escribe aquí el nombre del invitado!

Geronimo

¡Colorea bajo la lengüeta!

Los consejos de los...

Elfos

Champiñones rellenos de los Elfos

INGREDIENTES (4 personas)

- 12 champiñones
- Leche
- 100 gramos de miga de pan
- 1 diente de ajo
- 1 huevo
- Queso rallado
- 1 ramita de perejil
- 1 bola de mozzarella
- Aceite, sal, pimienta

TIEMPO DE PREPARACIÓN
20 min.
(más el tiempo de cocción)

¡ANTES DE EMPEZAR, PÍDELE AYUDA A UN ADULTO!

1. Quítales los tallos a los champiñones, de modo que sólo queden los sombreros.

2. Lava delicadamente los champiñones y las hojas de perejil, después sécalos con un paño.

3. Pela el diente de ajo. Pídele a un adulto que triture todos los ingredientes con la batidora: miga de pan, mozzarella, huevo, ajo, perejil y unas cucharadas de leche. Añade una pizca de sal y pimienta.

4. En una bandeja para horno, dispón los champiñones con la concavidad hacia arriba.

5. Sala el interior de los champiñones y rellénalos con la mezcla cremosa que has obtenido, después espolvorea el queso por encima y échales unas gotitas de aceite.

6. Pídele a un adulto que caliente el horno a 200 grados y que meta la bandeja dentro durante 20 minutos, hasta que se doren los champiñones.

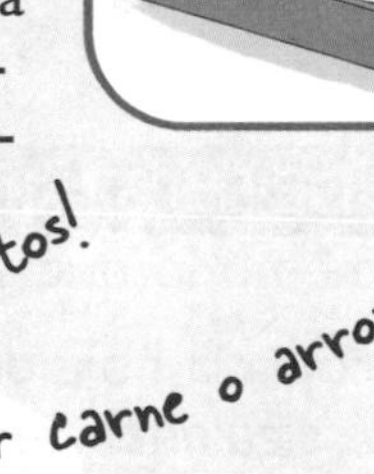

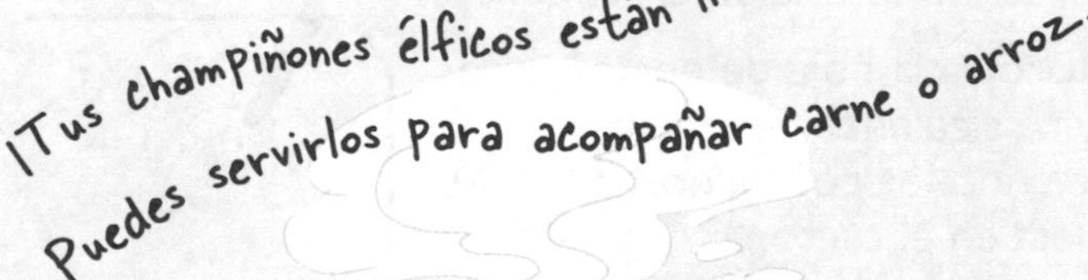

¡Tus champiñones élficos están listos!
Puedes servirlos para acompañar carne o arroz.

La indumentaria del Elfo

Viste calzones, camiseta, chaleco y átate la cinta dorada en la frente, como una corona... ¡eres un verdadero elfo real!

QUÉ NECESITAS

- Cartón de embalaje
- Témpera de color oro
- Una tira de cartulina de 1 cm de ancho por 25 cm de largo
- Tijeras de punta redonda
- Grapadora
- Camiseta verde
- Medias marrones
- Una cinta de regalo dorada

¡ANTES DE EMPEZAR, PÍDELE AYUDA A UN ADULTO!

1. Fotocopia la hoja de encina de la página siguiente, recórtala y, siguiendo los contornos, dibuja su silueta en el cartón.

2. Con las tijeras de punta redonda, recorta la hoja y píntala de color oro, primero por una parte y luego, cuando se haya secado, por la otra. Colorea también la tira de cartulina.

3 Pon la tira de cartulina alrededor de la hoja como si fuera un marco. Corta el trozo que sobre. Pega la cartulina con la grapadora de modo que la hoja quede bien sujeta.

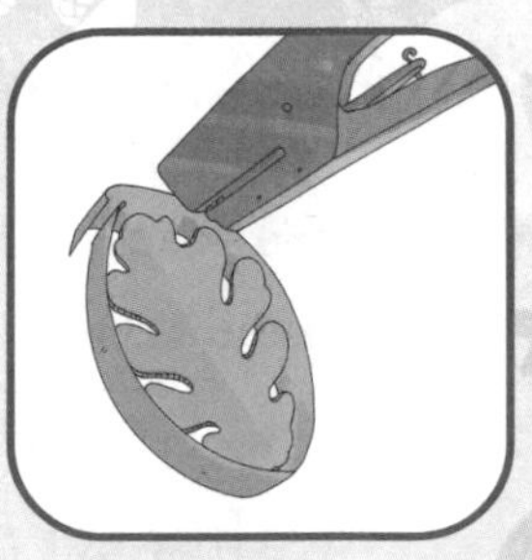

4 Tu colgante está listo, sólo te falta pasar un hilo entre la hoja y el marco y atarlo con un nudo.

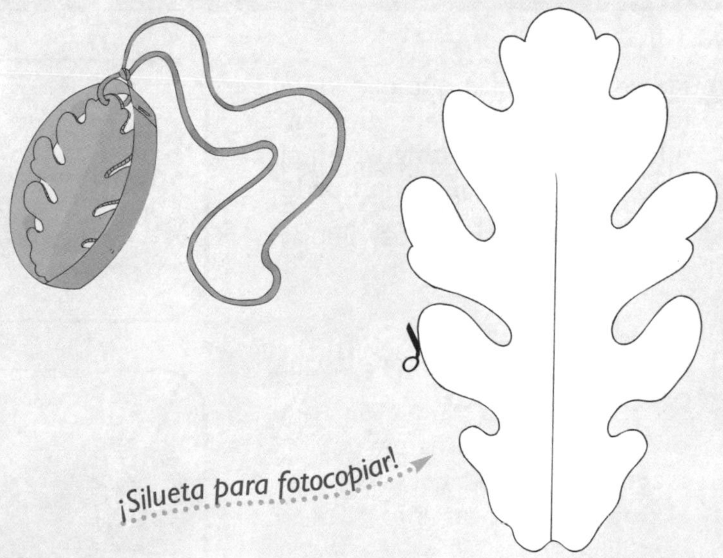

El Teatro de la Fantasía

¡Imagina que estás en el Reino de la Fantasía, e inventa una historia con sus personajes!

QUÉ NECESITAS

- Una caja de cartón
- Cartulina
- Témperas de colores y pinceles
- Rotuladores o lápices de colores
- Cañitas de plástico
- Cinta adhesiva

¡ANTES DE EMPEZAR, PÍDELE AYUDA A UN ADULTO!

1. Pídele a un adulto que elimine el fondo de la caja. Pídele también que recorte un rectángulo en el lado opuesto, dejando un borde como si fuera un marco.

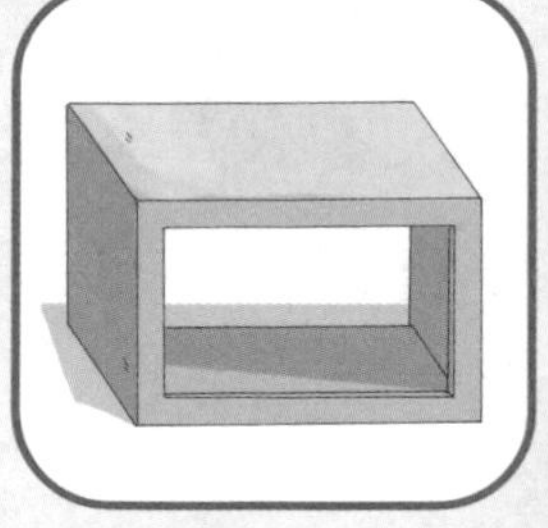

2. Con las témperas, decora la caja como más te guste.

3. Haz una fotocopia de las siluetas que encontrarás en la página siguiente y coloréalas con lápices de colores o rotuladores.

4. Pega las siluetas coloreadas a las cañitas con cinta adhesiva.

5. Ahora empieza el espectáculo, cogiendo las siluetas por la cañita y moviéndolas por detrás de la caja.

¡Siluetas para fotocopiar!

LOS CONSEJOS DEL...

GIGANTE

GIGANTE

Pizza de la Giganta

¡He aquí la receta para la masa de la base! Aunque también puedes comprarla hecha.

INGREDIENTES

- 500 gramos de harina
- 2 cucharadas de aceite
- Una pizca de sal
- 20 gramos de levadura de cerveza
- Agua templada
- Una lata de tomates pelados
- 2 bolas de mozzarella
- Albahaca
- Aceite virgen extra de oliva

(más 60-90 para la fermentación)

¡ANTES DE EMPEZAR, PÍDELE AYUDA A UN ADULTO!

1. Disuelve la levadura en una taza de agua templada.
2. Vierte la harina en la mesa y dale la forma de un volcán.
3. Vierte en el centro el aceite extra virgen de oliva, la sal y la levadura disuelta.

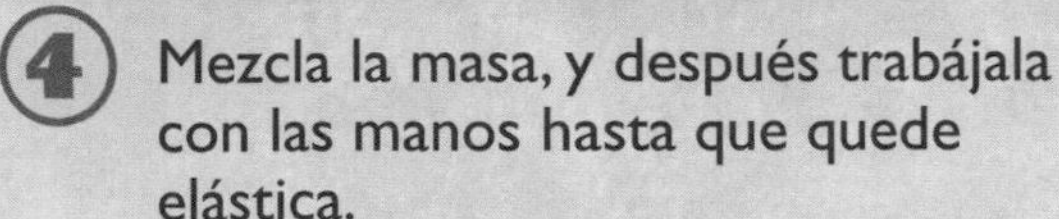

4. Mezcla la masa, y después trabájala con las manos hasta que quede elástica.

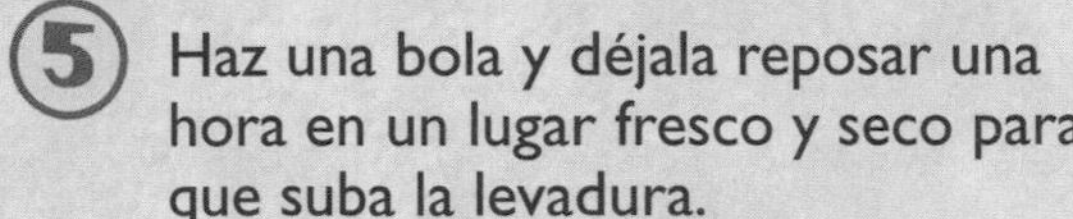

5. Haz una bola y déjala reposar una hora en un lugar fresco y seco para que suba la levadura.

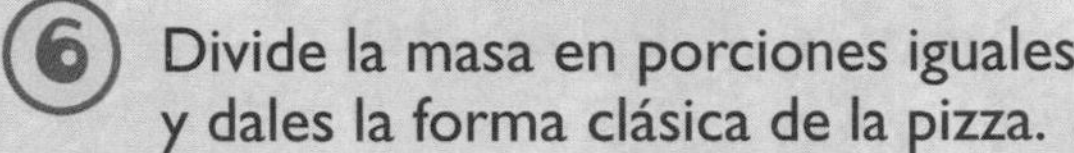

6. Divide la masa en porciones iguales y dales la forma clásica de la pizza.

7. En la base redonda de cada pizza extiende la pulpa de tomate.

8. Con la ayuda de un adulto, corta a dados la mozzarella, después de haberla escurrido, y espárcelos sobre el tomate. Decora la pizza con la albahaca, añade una pizca de sal y un chorrito de aceite.

9. Pídele a un adulto que la meta en el horno (previamente calentado a 200 grados) durante unos 20 minutos.

10. Si quieres, puedes añadirle más ingredientes, según tus gustos: aceitunas y anchoas, champiñones, verduras, queso...

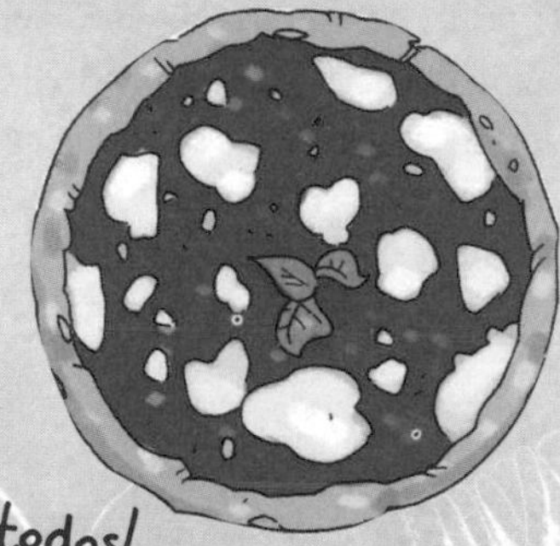

¡Y ahora... que aproveche a todos!

LAS BOTAS DEL GIGANTE

QUÉ NECESITAS

- 2 cajas de zapatos iguales
- Tijeras de punta redonda
- Pega
- Rotuladores
- 2 cintas rojas de unos 40 cm
- Cinta adhesiva
- Témperas de colores

1. Pídele ayuda a un adulto para hacer un agujero en las tapas de las cajas para poder meter los pies.

2. Ahora, con un rotulador, traza una línea recta desde al agujero hasta la punta de la caja.

3. Pídele a un adulto que haga tres agujeros en cada parte de la línea, colocados a la misma distancia unos de otros: te servirán para meter las cintas.

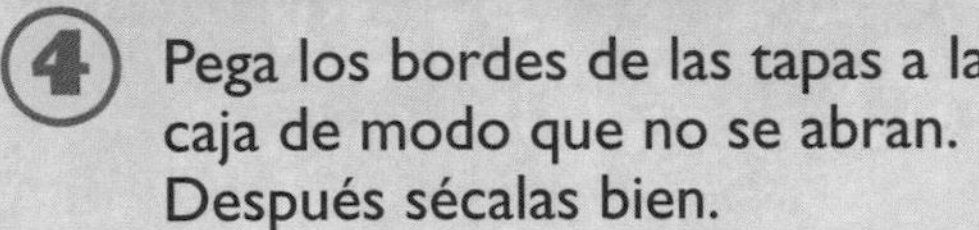

4. Pega los bordes de las tapas a la caja de modo que no se abran. Después sécalas bien.

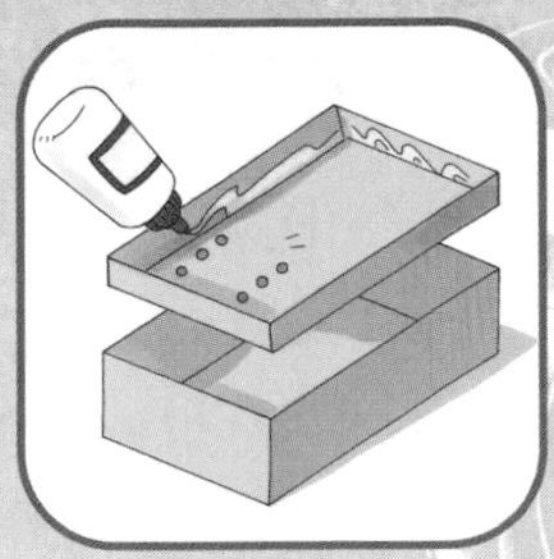

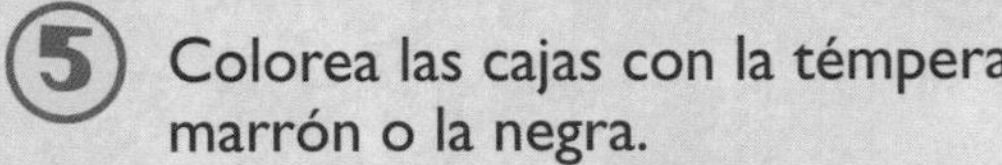

5. Colorea las cajas con la témpera marrón o la negra.

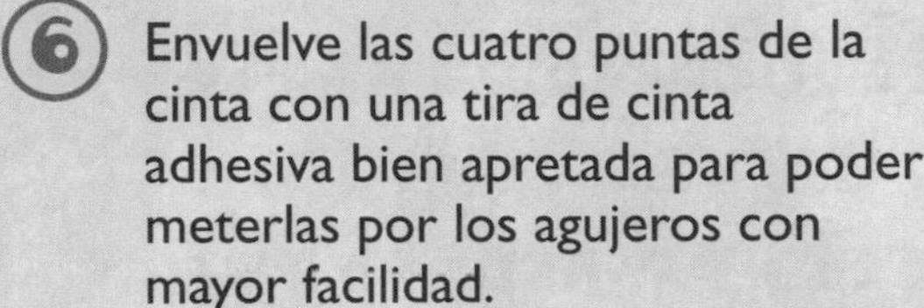

6. Envuelve las cuatro puntas de la cinta con una tira de cinta adhesiva bien apretada para poder meterlas por los agujeros con mayor facilidad.

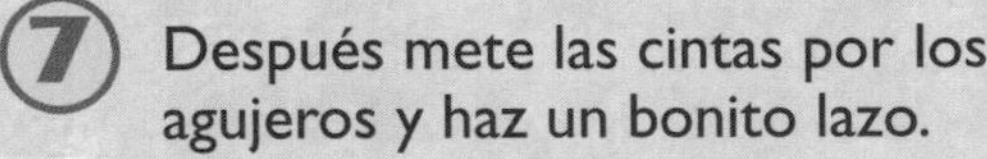

7. Después mete las cintas por los agujeros y haz un bonito lazo.

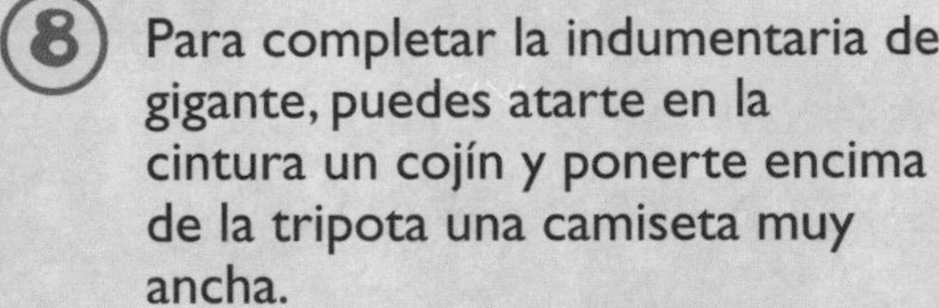

8. Para completar la indumentaria de gigante, puedes atarte en la cintura un cojín y ponerte encima de la tripota una camiseta muy ancha.

El Baile del Gigante

Ponte las botas de gigante y muévete como sugiere la cantinela: ¿conseguirás hacer temblar el suelo bajo tus pies?

Si un gigante quieres parecer,
como él te tienes que mover.
El pie derecho adelanta,
Luego con el izquierdo salta.
Con tus zapatones calzado,
tus pasos el suelo han aplastado.
¡Qué temblor tan aparatoso
cuando baila el coloso!

¡Atención!

¡No molestéis a los vecinos de casa y no hagáis juegos ruidosos como éste en las horas de descanso del día o de la noche!

El ritmo es lento... **BUM BUM BUM**

Da tres pasos adelante y tres atrás con pasos pesados y los brazos colgando...

Mueve la cabeza de un lado para otro.

¡Imagina que eres tan grande como un gigante!

Ahora levanta el pie y la rodilla e intenta saltar con un pie y después con el otro al mismo ritmo, primero el derecho y después el izquierdo.

Los gigantes que bailan juntos se ponen en una única fila, uno al lado de otro, apoyando las manos en los hombros de los otros gigantes.

Los Chistes Del Gigante

Un tipo entra en la estación y le dice al taquillero:
—¿Puedo coger el tren de las 12 para Barcelona?
El hombre le responde:
—Depende de lo rápido que corra, ¡ha salido hace cinco minutos!

Llega el niño a casa y le dice a su mamá:
—Mami, tengo una noticia buena y otra mala.
—Dime la buena —dice la mamá.
—Saqué un diez en matemáticas.
—¿Y la mala?
—Que es mentira.

En el colegio:
—Señorita, ¿verdad que no se debe castigar a un niño por una cosa que no haya hecho?
—No, claro que no.
—Estupendo, no he hecho los deberes.

Un niño llega a su casa y le dice a su mamá:
—Mamá, en el colegio me llaman distraído.
Y la señora le contesta:
—Niño, tú vives en la casa de enfrente.

¿Qué dice un volcán recién nacido?
—Magma, magma...

Un niño le dice a su papá:
—Papá, ¿te gusta la manzana asada?
—Sí, hijo, es mi postre preferido.
—Pues estás de suerte, porque el huerto está ardiendo.

Un tipo va a la frutería y dice:
—Deme un kilo de limones, por favor.
—Aquí tiene.
—¿Cuánto es?
—¡Pues un kilo!

LOS CONSEJOS DE

Alys y de su dragón

Apetitosa salsa Negra de Dragón

INGREDIENTES

- Una lata de tomate triturado
- Aceitunas negras sin hueso
- 1 diente de ajo
- Aceite
- Sal
- Una pizca de guindilla

¡ANTES DE EMPEZAR, PÍDELE AYUDA A UN ADULTO!

1. Pela el diente de ajo.

2. Pídele a un adulto que caliente en una sartén un chorro de aceite, dore el diente de ajo en él y añada el tomate triturado.

3. Añade una pizca de sal y cuécelo a fuego lento durante unos 15 minutos.

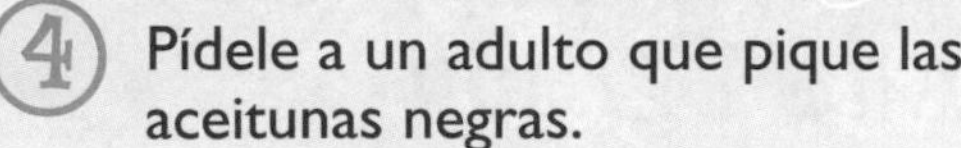

4 Pídele a un adulto que pique las aceitunas negras.

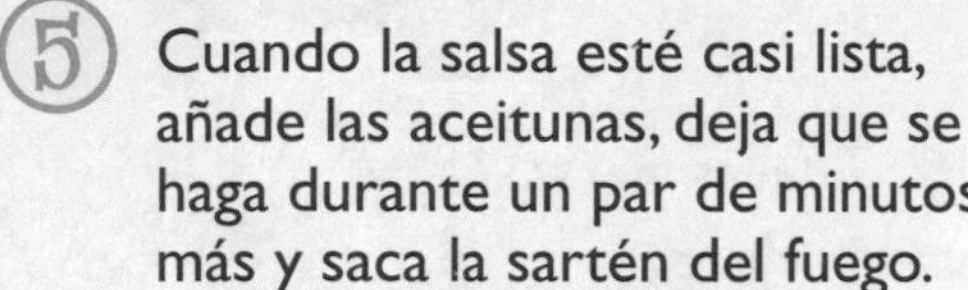

5 Cuando la salsa esté casi lista, añade las aceitunas, deja que se haga durante un par de minutos más y saca la sartén del fuego.

6 Condimenta la pasta con la salsa y añade, si quieres, una pizca de guindilla en polvo... Pero ¡no demasiada, o tú también echarás fuego por la boca, como el dragón!

Dos Alas de Dragón

QUÉ NECESITAS

- Cartón de embalaje
- Tijeras de punta redonda
- Cinta elástica
- Pincel
- Papel de aluminio (un rollo)
- Cola para papel
- Grapadora
- Bolígrafo

1. Dibuja en el cartón dos alas tan largas como tus brazos, con la parte de arriba recta y la de abajo silueteada como en el dibujo.

2. Diluye la cola con un poco de agua. Esparce la cola sobre el cartón con un pincel y pega el papel de aluminio sobre el cartón para revestir las alas.

¡Silueta para copiar!

③ Túmbate con los brazos extendidos sobre las alas y pídele a un adulto que te ayude a tomar las medidas: marca dos puntos en vertical a la altura de las muñecas y otros dos justo debajo de las axilas.

④ Ayudándote con un bolígrafo, haz agujeros en los puntos que has marcado en las alas.

⑤ Mete la cinta elástica en los agujeros y átala con dos nudos. Ponte las alas, que deben quedar bien sujetas a los brazos.

¡¡¡Eres un bellísimo dragón de plata!!!

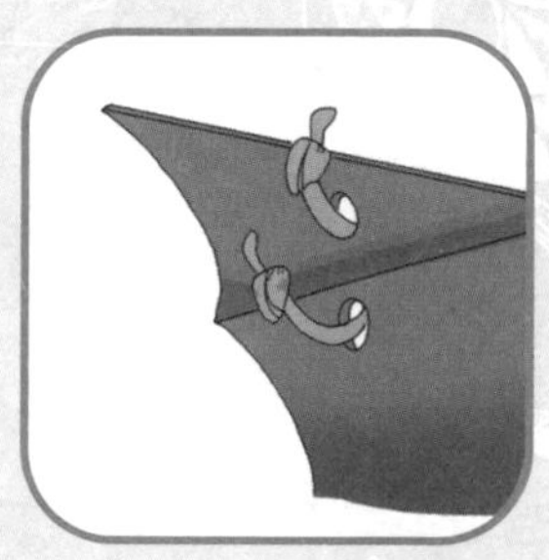

¡Atención!

¡Con estas alas no se puede volar de verdad, sino sólo con la fantasía!

El Baile del Dragón de Plata

¡Los Dragones de Plata son capaces de hacer maravillosas, increíbles acrobacias, y les gusta la música, especialmente si procede de la flauta de plata de Alys!

Alas de Plata, lengua de fuego
pero no temas,
¡Sólo es un juego!
Para Alys, domarlo
ha sido fácil:
oye la flauta
y se vuelve dócil

¡Atención!

¡Con estas alas no se puede volar de verdad, sino sólo con la fantasía!

Ponte las alas del Dragón de Plata para un baile acrobático.

Corre moviendo las alas, como un aeroplano en barrena, y da tres vueltas con las alas desplegadas.

Ahora levanta el brazo derecho, después bájalo y levanta el izquierdo.

Da un salto y después aterriza doblando las rodillas... después da otro salto...

¡Después vuelve a bailar el Baile del Dragón al ritmo de la cantinela!

Un Volcán de Mesa

QUÉ NECESITAS

- Un cuadrado de cartón
- Plastilina
- Témperas de color gris, negro y rojo
- Pincel
- Un vasito de plástico
- Bicarbonato
- Zumo de limón
- Cucharilla

¡ANTES DE EMPEZAR, PÍDELE AYUDA A UN ADULTO!

1. Usa el cuadrado de cartón como base y modela la plastilina dándole forma de una montaña de unos **15** cm de alto. En el centro hazle el cráter apretando con el vasito de plástico.

2. Deja que se seque y pinta el volcán de gris y negro: añade un poco de rojo para imitar la lava.

3. Cuando se haya secado el color, mete en el cráter el vasito de plástico.

4. Vierte en el vasito una cucharadita de bicarbonato y mézclalo con la témpera roja, después añade el zumo de limón al vaso... ¡Verás una erupción en miniatura!

LOS CONSEJOS DEL...

GATO CON BOTAS

PINCHITOS DEL GATO GOLOSO

INGREDIENTES

- Dos latas de filetes de anchoa en aceite
- Tomatitos cherry
- Aceitunas negras sin hueso
- Palillos largos para brochetas

¡ANTES DE EMPEZAR, PÍDELE AYUDA A UN ADULTO!

1. Escurre el aceite y saca los filetes de anchoa de la lata, sepáralos y extiéndelos en un plato.

2. Lava y seca con cuidado los tomatitos.

3. Envuelve las aceitunas con los filetes de anchoa.

4. Ahora ensarta en los palillos las olivas enrolladas con las anchoas, alternándolas con los tomatitos.

5. Pon los pinchitos en un plato y...

¡Empieza a relamerte los bigotes!

LA INDUMENTARIA DEL GATO

Ponte la camiseta, los calzones negros, tus bonitas orejas, la cola y... empieza a maullar, ¡eres un gato perfecto!

QUÉ NECESITAS

- Maquillaje para niños
- Una camiseta negra
- Un par de medias negras
- Una diadema para el pelo
- Cartulina
- Tijeras de punta redonda
- Rotuladores
- Grapadora
- Papel de periódico

Antes de maquillarte y ponerte el disfraz, prepara las orejas y la cola. Así es como se hace:

1. Para hacer las orejas de gato, dibuja en la cartulina dos triángulos con la base de 5 cm y la altura de 8 cm. En cada triángulo, colorea un lado de negro y el otro de rosa.

2. Bajo la base deja un borde suficientemente alto: te servirá para pegar las orejas a la diadema.

3. Recorta las orejas con las tijeras de punta redonda, y pídele a un adulto que las fije a la diadema con la grapadora, a unos 5 cm de distancia una de la otra.

4. Para formar la cola, haz bolas con el papel de periódico y mételas en una media. Con las manos, distribuye bien las bolas a lo largo de toda la media.

5. Ata esta media a la otra por su mitad, de modo que puedas atarte esta última a la cintura por delante.

6. Ahora ponte frente al espejo. Para maquillarte, sigue el esquema: pinta un bonito círculo rosa en la punta de tu nariz. Con negro, pinta tres puntos a cada lado de la nariz y de allí haz salir tres líneas a lo largo de cada mejilla: ¡son los bigotes!

EL BAILE DEL GATO CON BOTAS

Al ritmo de la cantinela, baila como el Gato con Botas.
Recuerda que los gatos son muy escurridizos y elegantes... ¡no seas rígido en tus movimientos e intenta ronronear!

PASO AFELPADO, COLA BRILLANTE,
SALTA ADELANTE Y NADIE LE ECHA EL GUANTE.
LLEVA UN EXTRAÑO CALZADO.
RONRONEA UN POCO Y MAÚLLA AGITADO.

Ponte a gatas, arquea la espalda hacia abajo y echa las piernas hacia atrás.

Ahora saca joroba, después da dos saltitos hacia la derecha y hacia la izquierda.

Da cuatro pasos adelante con las rodillas levantadas, los brazos con los codos doblados hacia arriba y los dedos de las manos hacia abajo. Después da cinco pasos más.

Atrapa a la mariposa sobre tu cabeza: alarga una patita, es decir, un brazo, haciendo después un arco hacia abajo. No te olvides de maullar.

Sigue los movimientos repitiendo la cantinela. Si bailas con amigos, poneos todos en fila e intentad repetir los movimientos todos a la vez.

EL GATO Y LOS RATONCITOS

Juego en grupo

- Para este juego, basta estar en compañía y disponerse en un gran círculo.

- Los ratoncitos se colocan en el círculo: quien hace de gato, en cambio, debe quedarse fuera del círculo y elegir a un ratoncito para atraparlo.

- Cuando ha elegido a su presa, el gato toca en el hombro al ratoncito elegido y éste debe salir del círculo. Ahora, los dos jugadores deben correr por fuera del círculo, el gato en un sentido y el ratoncito en el otro.

- Gana quien primero consigue alcanzar el lugar dejado vacío por el ratoncito... Quien pierde, se convierte en gato... ¡y la caza empieza de nuevo!

Los consejos de las
Hadas

Fruta de las Hadas

INGREDIENTES

- Fresas, cerezas o uvas, según la estación
- Clara de huevo
- Azúcar

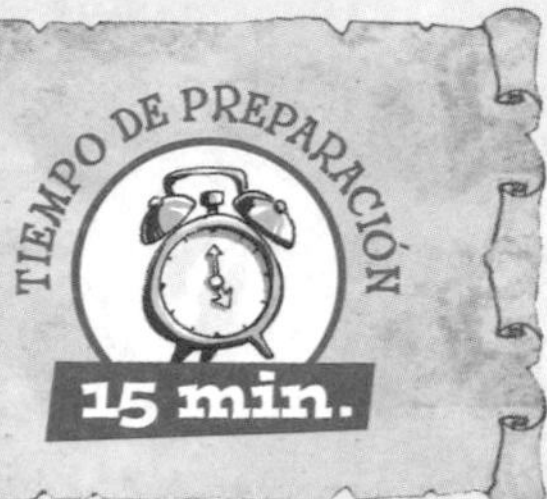

1. Lava la fruta sin eliminar los tallos, después sécala con cuidado. Sumerge la fruta en la clara de huevo y deja escurrir el exceso de clara.

2. Ahora pon la fruta en el azúcar para que se cubra bien con una ligera capa blanca.

3. Dispón la fruta en un plato y ponla en el congelador durante unos 20 minutos.

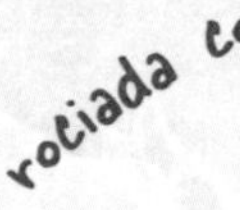

¡Sírvela fría, fría... rociada con escarcha mágica de hada!

Construye una brújula

¡Construye tu brújula para orientarte en el Reino de la Fantasía!

QUÉ NECESITAS

- Una aguja de lana sin punta
- Un tapón ancho de corcho
- Un imán
- Cola vinílica
- Una bandeja de vidrio transparente

¡ANTES DE EMPEZAR, PÍDELE AYUDA A UN ADULTO!

1. Pídele ayuda a un adulto para recortar el tapón de corcho y conseguir un disco de 1 cm de grueso. Te servirá como base para la aguja.

2. Frota bien la aguja sobre el imán, y pégala al disco de corcho con una gota de cola.

3. Llena la bandeja de agua y apoya encima el corcho con la aguja. Verás cómo la aguja señala al norte, y aunque la muevas, vuelve de nuevo a su lugar.

La cortina atrapa-pesadillas

¡Las pesadillas quedarán atrapadas en la cortina y tú dormirás tranquilo!

QUÉ NECESITAS

- 10 trozos de hilo bramante de 1 metro de largo
- Moldes para galletas en forma de estrella
- Pasta para modelar
- Grapadora
- Macarrones
- Témperas de colores
- Pincel
- Mondadientes
- Cinta adhesiva
- Cartulina

¡ANTES DE EMPEZAR, PÍDELE AYUDA A UN ADULTO!

1. Con la pasta para modelar, haz formas no muy grandes: bolitas, cilindros, cuadrados, y agujeréalas con un mondadientes.

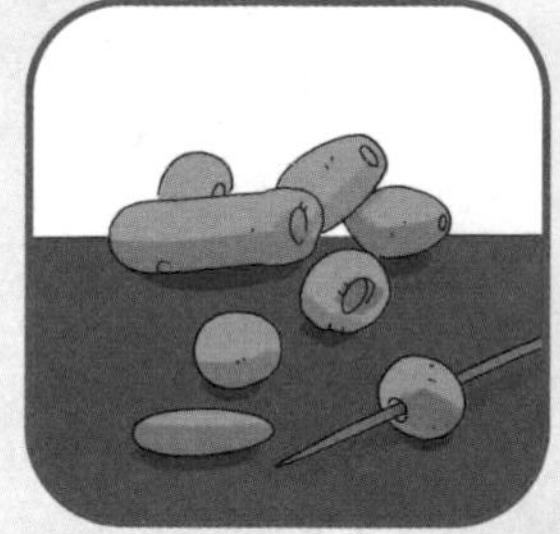

2. Extiende la pasta para modelar, haz estrellas con los moldes para galletas. ¡Acuérdate de hacerles un agujero con el palillo para pasar el hilo! Deja que se sequen... Espera al día siguiente para volver al juego.

3. Pinta las estrellas y los macarrones con las témperas y deja que se sequen bien.

4. Anuda una estrella al extremo de cada hilo. Después, mete unas cuantas formas, deja vacío un trozo de hilo y anuda otra estrellita, o mete un macarrón y alterna formas y colores. Continúa así hasta llegar al final del hilo, dejando libres 5 cm en el extremo.

5. Repite la operación con los demás hilos, alternando colores, formas y espacios como quieras, pero colocando siempre una estrella en una punta del hilo y dejando libre el otro extremo.

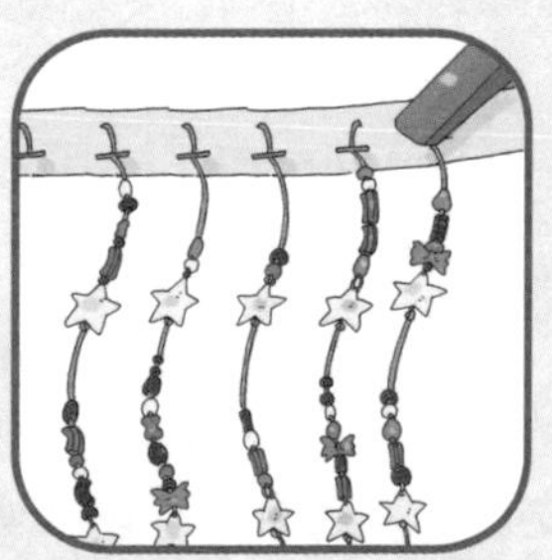

6. Ahora corta una tira de cartulina de un metro de largo. Pídele a un adulto que fije los hilos con una grapadora a 10 cm de distancia cada uno. Después pídele que lo pegue al marco superior de la puerta.

¡He aquí tu cortina atrapa-pesadillas!

La guirnalda de Flordelís

QUÉ NECESITAS

- Papel pinocho de color verde y azul
- Un cordoncito de color rojo
- Grapadora
- Tijeras de punta redonda

¡ANTES DE EMPEZAR, PÍDELE AYUDA A UN ADULTO!

1. Recorta tres tiras de papel pinocho verde de 50 cm de largo y 5 cm de ancho.

2. Enrolla las tres tiras a lo largo y modélalas con los dedos.

3. Pídele a un adulto que fije las tres tiras por una de las puntas con una grapa y haz una trenza.

4. Pídele a un adulto que fije las otras tres puntas de la trenza con otra grapa, formando un círculo de la medida de tu cabeza. Si sobra un trozo de trenza, no lo cortes y deja que cuelgue. Ata la punta con el cordoncito rojo haciendo un bonito lazo.

5. Para hacer la flor de lis, recorta tiras de papel pinocho azul de 4 cm de ancho y 6 cm de largo.

6. Con las tijeras de punta redonda, haz muchos cortes a lo largo del borde para obtener una especie de fleco (¡como el de las alfombras!).

7. Ahora enrolla las tiras, fíjalas con una grapa y abre los pétalos modelándolos con los dedos.

8. Pídele ayuda a un adulto para grapar las flores a la guirnalda y para ponértela después...

¡Ya estás listo para ir a la fiesta de Floridiana!

TEST

¿ERES HADA, GNOMO, GIGANTE, ELFO, DRAGÓN O GATO?

¡Lee con atención, responde a las preguntas marcando la letra y descubrirás cuál es tu verdadera naturaleza!

1 CUANDO ENCUENTRAS A UN PREPOTENTE

F. Te enfadas en seguida
D. Haces un chiste gracioso y le tomas el pelo
B. Intentas reflexionar y tener paciencia
C. Querrías volverte pequeño, pequeño...
E. Lo afrontas con calma y sin miedo
A. Coges una pataleta

2 ¿CUÁL DE ESTAS TRES COMIDAS PREFIERES?

B. Fruta escarchada
D. Empanadillas de atún
F. Pasta con ajo, aceite y guindilla
A. Filete a la pimienta
E. Verdura del tiempo
C. Tarta de fresas

3 SI RECIBIERAS UN REGALO, QUERRÍAS QUE FUERA…

E. Un collar con colgante
B. Una flor
A. Un anillo
F. Un dinosurio de goma
C. Un libro
D. Un par de botas

4 ¿QUÉ QUIERES SER DE MAYOR?

C. Guardia forestal
F. Experto en volcanes
B. Cultivador de flores
D. Pescador
A. Alpinista
E. Veterinario

5 ¿QUÉ PLANTA PREFIERES?

B. Rosa
A. Baobab
E. Abeto
D. Muérdago
C. Mata de frambuesas
F. Cacto

RESULTADOS

Calcula el resultado del test...

A

Si has elegido un mayor número de veces la respuesta A, eres impetuoso como el gigante.

B

Si has elegido un mayor número de veces la respuesta B, eres amable como una hada.

C

Si has elegido un mayor número de veces la respuesta C, eres amante de la naturaleza como un gnomo.

D

Si has elegido un mayor número de veces la respuesta D, eres simpático y gracioso como el Gato.

E

Con tres E, eres valiente y amigo de los animales, como el Rey de los Elfos.

F

Si has elegido un mayor número de veces la respuesta F, eres un verdadero... ¡dragón!

Índice

Todo empezó así, exactamente así...

¡Viaje al Reino de la Fantasía!

¡La partida de la Compañía de la Fantasía!

En el terrorífico Reino de las Pesadillas

En el Reino del Rey de las Pesadillas

¡La empresa del Volcán Escupehumo!

Hacia el Reino de las Hadas

Regreso a la Isla de los Ratones

¡Este libro está dedicado a todos los que creen en el Bien y lo defienden en el mundo!

El nombre de Geronimo Stilton y todos los personajes y detalles relacionados con él son *copyright*, marca registrada y licencia exclusiva de Atlantyca SpA. Todos los derechos reservados. Se protegen los derechos morales del autor.

Textos de Geronimo Stilton
Inspirado en una idea original de Elisabetta Dami
Cubierta de Silvia Bigolin
Ilustraciones de Danilo Barozzi, Silvia Bigolin, Giuseppe di Dio, Giuseppe Guindan, Barbara Pellizzari, Umberta Pezzoli y Archivo Piemme.
Diseño gráfico de Yuko Egusa
Gracias a la bailarina Francesca di Mola.
Gracias a los amigos Emanuele y Giacomo.
Gracias a P. P .D. P. y M. A.

Título original: *Terzo Viaggio nel Regno della Fantasia*
© Traducción de Manuel Manzano, 2008

Destino Infantil & Juvenil
destinojoven@edestino.es / www.destinojoven.com
Editado por Editorial Planeta S. A.

© 2007- Edizioni Piemme S.p.A., Via Tiziano 32 – 20145 Milán – Italia
www.geronimostilton.com
© 2008 de la edición en lengua española: Editorial Planeta, S. A.
Avda. Diagonal, 662-664, 08034 Barcelona
Derechos internacionales © Atlantyca SpA, via Leopardi 8,
20123 Milán, Italia - foreignrights@atlantyca.it / www.atlantyca.com

Primera edición: septiembre de 2008
Séptima edición: diciembre de 2009
ISBN: 978-84-08-08121-0
Depósito legal: B. 41.376-2009
Fotocomposición: Víctor Igual
Impresión y encuadernación: Egedsa
Impreso en España - Printed in Spain

No se permite la reproducción total o parcial de este libro ni su incorporación a un sistema informático, ni su transmisión en cualquier forma o por cualquier medio, sea éste electrónico, mecánico, por fotocopia, por grabación u otros métodos, sin el permiso previo y por escrito de los titulares del *copyright*. La infracción de los derechos mencionados puede ser constitutiva de delito contra la propiedad intelectual (Arts. 270 y siguientes del Código Penal).

Stilton es el nombre de un famoso queso inglés. Es una marca registrada de la Asociación de Fabricantes de Queso Stilton. Para más información www.stiltoncheese.com

☐ 1. Mi nombre es Stilton, Geronimo Stilton

☐ 2. En busca de la maravilla perdida

☐ 3. El misterioso manuscrito de Nostrarratus

☐ 4. El castillo de Roca Tacaña

☐ 5. Un disparatado viaje a Ratikistán

☐ 6. La carrera más loca del mundo

☐ 7. La sonrisa de Mona Ratisa

☐ 8. El galeón de los gatos piratas

☐ 9. ¡Quita esas patas, Caraqueso!

☐ 10. El misterio del tesoro desaparecido

☐ 11. Cuatro ratones en la Selva Negra

☐ 12. El fantasma del metro

☐ 13. El amor es como el queso

☐ 14. El castillo de Zampachicha Miaumiau

☐ 15. ¡Agarraos los bigotes... que llega Ratigoni!

☐ 16. Tras la pista del yeti

❑ 17. El misterio de la pirámide de queso

❑ 18. El secreto de la familia Tenebrax

❑ 19. ¿Querías vacaciones, Stilton?

❑ 20. Un ratón educado no se tira ratopedos

❑ 21. ¿Quién ha raptado a Lánguida?

❑ 22. El extraño caso de la Rata Apestosa

❑ 23. ¡Tontorratón quien llegue el último!

❑ 24. ¡Qué vacaciones tan superratónicas!

❑ 25. Halloween... ¡qué miedo!

❑ 26. ¡Menudo canguelo en el Kilimanjaro!

❑ 27. Cuatro ratones en el Salvaje Oeste

❑ 28. Los mejores juegos para tus vacaciones

❑ 29. El extraño caso de la noche de Halloween

❑ 30. ¡Es Navidad, Stilton!

❑ 31. El extraño caso del Calamar Gigante

❑ 32. ¡Por mil quesos de bola... he ganado la Lotorratón!

❑ 33. El misterio del ojo de esmeralda

❑ 34. El libro de los juegos de viaje

❑ 35. ¡Un superratónico día... de campeonato!

❑ 36. El misterioso ladrón de queso

❑ 37. ¡Ya te daré yo karate!

❑ 38. Un granizado de moscas para el conde

❑ 39. El extraño caso del Volcán Apestoso

TEA STILTON

❑ 1. El código del dragón

❑ 2. La montaña parlante

❑ 3. La ciudad secreta

❑ 4. Misterio en París

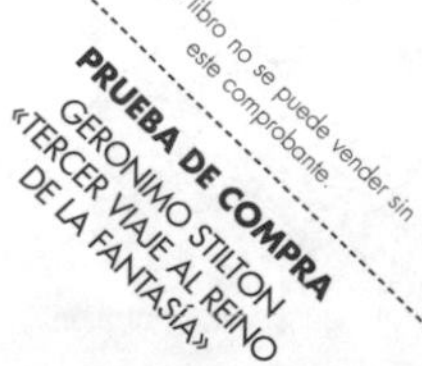

Este libro no se puede vender sin este comprobante.
PRUEBA DE COMPRA
GERONIMO STILTON
«TERCER VIAJE AL REINO DE LA FANTASÍA»

¿Te gustaría ser miembro del CLUB STILTON?

Sólo tienes que entrar en la página web **www.clubgeronimostilton.es** y darte de alta. De este modo, te convertirás en ratosocio/a y podré informarte de todas las novedades y de las promociones que pongamos en marcha.

¡PALABRA DE GERONIMO STILTON!

¡NO TE PIERDAS LOS LIBROS ESPECIALES DE GERONIMO STILTON!

Geronimo Stilton — En el Reino de la Fantasía

Geronimo Stilton — Regreso al Reino de la Fantasía

Geronimo Stilton — Tercer viaje al Reino de la Fantasía

Geronimo Stilton — Viaje en el Tiempo

Parte con Geronimo y sus amigos hacia un turbulento y agitado Viaje en el Tiempo, o súbete a lomos del Dragón del Arco Iris rumbo al Reino de la Fantasía. ¡Te quedarás sin aliento!

DESTINO

¡No a la magia

... sí a la fantasía!

¡Queridos amigos y queridas amigas!

¡INMENSO, ES MÁS, INFINITO ES EL REINO DE LA FANTASÍA! ¡LA LLAVE PARA LLEGAR A ÉL ES NUESTRA CAPACIDAD DE IMAGINAR AVENTURAS, CRIATURAS Y PAISAJES FANTÁSTICOS!

¡Ejem, ejem, hasta luego,
hasta la próxima aventura!

Fin